El portafolio paso a paso

Infantil y primaria

Elizabeth F. Shores
Cathy Grace

El portafolio paso a paso

Infantil y primaria

Biblioteca de Infantil 4 GRAÓ

Título original: *The Portfolio Book: A Step-by-Step Guide for Teachers*

Colección Biblioteca de Infantil
Serie Didáctica / Diseño y desarrollo curricular
Revisión técnica: Teresa Ribas i Seix

C/ Francesc Tàrrega, 32-34. 08028 Barcelona
www.grao.com

1.ª edición: mayo 2004
ISBN: 84-7827-331-X
D.L.: B-21.547-2004

Diseño: Maria Tortajada
Impresión: Imprimeix
Impreso en España

Índice

Prólogo a la edición castellana

Teresa Ribas i Seix

Hablar de portafolios significa hablar de evaluación, un ámbito fundamental en la enseñanza, no siempre fácil para el profesorado, ni suficientemente explícito en la práctica diaria de las escuelas. Por este motivo, la publicación en lengua castellana del libro que aquí se presenta es una buena noticia, porque puede constituir una herramienta interesante y muy útil para guiar la reflexión sobre las prácticas actuales y ser, a la vez, fuente de nuevas ideas para actualizar y mejorar la docencia en las aulas.

El término *portafolio* pertenece a una tradición muy arraigada en los países anglosajones, especialmente en Estados Unidos, que, en el ámbito de movimientos de renovación pedagógica, se propone actualizar y mejorar la enseñanza y se plantea la evaluación desde una perspectiva más formativa. Detrás de cualquier experiencia en el uso de portafolios, descubrimos siempre una visión formativa de la evaluación y una voluntad de transformarla en una realidad más útil para el aprendizaje y más acorde con los actuales planteamientos didácticos. Así pues, en este marco se entiende por portafolio –en otros trabajos podemos leer *carpeta* o *dossier*– un instrumento didáctico al servicio de la evaluación formativa, principalmente, pero que a la vez es un poderoso instrumento metodológico al servicio de la renovación de las actividades de aprendizaje. En nuestro entorno más próximo tenemos ejemplos que guardan alguna similitud con los portafolios: en muchas escuelas y parvularios los alumnos confeccionan un álbum con los trabajos que realizan a lo largo del curso o del trimestre, o bien al finalizar un proyecto se organiza una exposición en el centro escolar con las mejores tareas de cada alumno. Estos álbumes o exposiciones son el punto de encuentro entre familias, alumnos y maestros para generar, a partir de ellos, el diálogo sobre el aprendizaje y posibilitar la participación de los tres agentes protagonistas del proceso educativo.

En este libro se presenta una propuesta para llevar a cabo la evaluación a través del uso de portafolios; es decir, los dossieres o las carpetas que los alumnos confeccionan a lo largo del curso, con la colaboración de maestros y familias, son el reflejo o la evidencia de lo que el alumno es capaz de hacer, de lo que ha aprendido. En este sentido, tres son las características fundamentales de la evaluación a través de portafolios, que en las propuestas concretas que se ofrecen quedan muy claramente destacadas:

- El valor de la reflexión y de la toma de conciencia en los procesos de enseñanza y de aprendizaje, tanto por parte de alumnos como de maestros, y, en este mismo sentido, la utilidad de la escritura como instrumento que ayuda a explicitar y a sistematizar las ideas, las experiencias y los conocimientos de unos y otros.
- El interés de la creación de portafolios tal como se propone aquí: como un instrumento que permite «hacer visible» el proceso de aprendizaje del alumno, ya que no sólo consiste en una colección de trabajos finalizados, sino también en borradores, proyectos, valoraciones, opiniones, etc.; se da protagonismo del alumno, pero con la guía del maestro.
- La calidad de un proceso compartido entre alumnado, profesorado y familia, en el que el portafolio es el punto de encuentro visible que permite la implicación de las familias en la tarea educativa de la escuela y facilita la interacción entre los tres agentes comprometidos en la formación.

El libro se distingue por un rasgo que es poco común: aun siendo, sin duda, un manual eminentemente práctico, proporciona de forma amena y comprensible la fundamentación teórica de los conceptos que justifican las propuestas educativas. En este sentido, se trata de una obra muy apropiada para los que tienen experiencia en la enseñanza, especialmente en las etapas de infantil y primaria, pero también será útil para aquellos que se están formando para ejercer el oficio de maestro, ya que aporta suficientes elementos de reflexión y numerosos ejemplos para comprender y argumentar las opciones tomadas.

Otra de las ventajas es el carácter abierto de las propuestas. Si bien sus autoras nos presentan a partir de su experiencia un proceso gradual y muy guiado para introducir la utilización de portafolios en la práctica didáctica del lector, este proceso, con abundancia de ejemplos, puede adaptarse fácilmente a cada circunstancia. Es más, creo que dicha adaptación está en el ánimo de las autoras, ya que, para que realmente podamos introducir una nueva metodología en nuestra aula y en nuestro centro, se precisan dos condiciones: la primera es que comprendamos las razones por las cuales esta nueva forma de trabajar puede resultar más satisfactoria; y la segunda es que hallemos la manera de conjugarla con nuestro modo de trabajar y con nuestros principios básicos de organización del aula y de las tareas. Tal como se presentan las distintas fases de aplicación de la propuesta de portafolios, ambas son fácilmente realizables.

Si bien en algunos fragmentos de este libro podemos percibir una manera excesivamente detallada de dar las indicaciones prácticas, más propia de otras tradiciones que de la nuestra, creemos que esta obra es muy oportuna para la situación actual en que vivimos, porque plantea lo que puede convertirse en un itinerario de autoformación. El nivel de conciencia profesional y de formación de nuestros maestros podemos considerar que en estos momentos es ya bastante satisfactorio; sin embargo, todos sabemos que existen algunos ámbitos en los que la reflexión sobre la práctica es todavía necesaria y, sobre todo, es preciso buscar metodologías para trabajar en el aula y compartir y discutir con los compañeros sobre su efectividad.

Así pues, para ayudar a los profesionales de la enseñanza, maestros y maestras, a revisar sus prácticas y a actualizarlas y fundamentarlas a partir de nuevas aportaciones, creemos que este libro será de gran utilidad y permitirá ayudar a aquellos grupos de maestros que decidan replantearse a fondo cómo llevar a cabo la evaluación en sus aulas.

Agradecimientos

De alguna manera, todos los niños y niñas, educadores y educadoras y personal de administración con los que hemos hablado o a los que hemos observado son parte de este libro. Nuestro agradecimiento, por tanto, a todos aquellos que nos han dedicado su tiempo a lo largo de los años en tantos lugares.

Son muchas las personas que han ayudado de forma particular en este proyecto. Queremos agradecer a Pam Schiller que nos animara a escribir este libro y a Lary Rood, Leah Curry-Rood y Kathy Charner de la editorial Gryphon House por aceptarlo y publicarlo.

La contribución de las siguientes personas y organizaciones también fue extremadamente importante:

Los responsables y el profesorado del centro educativo Tupelo (Mississipi), Public Schools.

Profesorado del centro educativo Lift Head Start.

Anna K. Levy del Educational Research Center for Child Development de la Florida State University.

Betty Raper, Directora de la Gibbs Magnet School for International Studies and Foreign Languages de Little Rock (Arizona), y el profesorado del centro educativo, en particular Carolyn Blome, Susan Turner Puvis, Kristy Kidd, Kayren Grayson Baker, Bea Kimball, Sherry Weaver, Patricia Luzzi y Don Williams.

Jay Beachboard de Little Rock (Arizona), por la inspiración procedente de su amplia experiencia con los alumnos y alumnas de educación especial, su profundo conocimiento teórico y su sentido del humor.

Nancy Livesay del SERVE (SouthEastern Regional Vision for Education); el Arkansas Humanities Council; todos los participantes en el foro de discusión ERIC de investigación de la infancia (Elizabeth «merodeó» por el foro de discusión durante meses, para recoger las opiniones de todos los participantes).

Cynthia Frost y el departamento de préstamos interbibliotecarios del Central Arkansas Library System; Kelly Quinn de Little Rock (Arizona).

Beverly Sandlin del Okaloosa-Walton Community College de Niceville (Florida).

1
¿Por qué utilizar los portafolios?

1

¿Por qué utilizar los portafolios?

El maestro o maestra que se aproxime a este libro lo hará por alguna de las siguientes razones:

- Porque se pregunta qué son los portafolios y cómo pueden usarse en el aula.
- Porque quiere mejorar sus métodos de enseñanza y ayudar al alumnado a aprender de forma más eficaz.
- Porque un amigo o amiga, o un compañero, le ha comentado que los portafolios han transformado su clase en un entorno maravilloso en el que los alumnos (y el docente) piensan, debaten, escriben y aprenden al mismo tiempo.
- Porque ha detectado la atención que se presta a los portafolios en las revistas sobre la infancia, en los catálogos de material y recursos didácticos, en los programas de los congresos y quiere saber en qué consisten exactamente.
- Porque le molesta la excesiva preponderancia que han adquirido las pruebas estandarizadas y prefiere aplicar una evaluación personalizada.
- O porque el centro de educación infantil o la escuela primaria en la que trabaja ha decidido emplear los portafolios y tiene que ponerse al día lo antes posible.

Sea cuál sea la razón que le haya motivado a aproximarse a los portafolios, es un acierto que haya elegido este libro para hacerlo. El proceso de creación de portafolios estructurado en diez fases que aquí se describe le resultará fácil de comprender y de aplicar en el entorno de aprendizaje de los centros de educación infantil y primaria. Y ello, porque el proceso permite aplicar el método paso a paso, lo que a su vez facilita la observación de los progresos realizados durante su puesta en práctica.

¿Por qué creemos que el método que presenta este libro es asequible? La respuesta es simple: porque permite al educador o educadora trabajar a su propio ritmo; porque le enseña cómo mejorar su trabajo como docente y hacerlo más eficaz; y porque se centra en la diferencia que existe entre los niños, en lugar de intentar demostrar que son iguales.

Este libro propone un proceso relativamente simple para el empleo de los portafolios como medio para apoyar el aprendizaje del alumnado, los docentes, y los padres y madres. El objetivo consiste en emplearlos para su propósito originario, esto es, para potenciar la reflexión, establecer objetivos docentes para los alumnos y alumnas e involucrar a las familias en la evaluación y en la calificación a través de una *comunicación* frecuente y variada. Por tanto, a lo largo del libro se describen los numerosos y variados modos en los que los profesores y sus alumnos y alumnas pueden hacer más eficaz el aprendizaje a través del uso de los portafolios en su entorno educativo. El proceso se ha diseñado en diez fases para permitir a los docentes y a las administraciones introducirlos de forma gradual. Así, es posible comenzar con la aplicación de las fases más sencillas y completar el proceso en dos o tres cursos escolares.

La división del proceso en diez fases permite:

- La personalización de la enseñanza y la adaptación a cada niño o niña en un contexto de objetivos educativos más amplios.
- El reciclaje continuo y permanente de los educadores y profesionales de la educación.
- Una mayor participación de las familias en los procesos de la educación infantil.

Superar el obstáculo de la acumulación de papel

Una de las razones por las que el proceso permite alcanzar los objetivos descritos es que la división en fases ayuda a superar uno de los obstáculos que más preocupa a los profesionales de la educación: la acumulación de papel. Son muchos los maestros y maestras de educación infantil y primaria que han intentado aplicar los portafolios en su actividad docente. Para ello, han recogido muestras de trabajo con entusiasmo, e incluso han llegado a tomar fotografías de los niños y niñas en acción, pero se han desanimado a la hora de escribir comentarios anecdóticos y sistemáticos e informes explicativos. Y esto pese al consenso generalizado acerca de la importancia y el valor de estas anotaciones, pues reflejan las opiniones y perspectivas del educador, y los intereses, capacidades y necesidades de los alumnos y alumnas.

¿A qué se debe el hecho de que la necesidad de hacer anotaciones escritas haya desanimado a muchos educadores en su empeño de aplicar los portafolios? Una de las razones es que el personal docente y administrativo de algunos centros considera la enseñanza como una actividad separada y distinta de la evaluación. Por otro lado, las anotaciones escritas exigen mucho tiempo, y los docentes no quieren dedicar «demasiado tiempo» a la evaluación. Sin embargo, no es posible aislar estas actividades educativas. La evaluación y la docencia forman parte del ciclo permanente y continuado de enseñanza-aprendizaje.

Este libro simplifica la actividad de escribir para llegar a la evaluación basada en portafolios, al dividirla en muchas tareas distintas y sencillas. Antes de enfrentarse a ella, el maestro afrontará una serie de pasos prácticos que le proporcionarán un bagaje importante para observar al alumnado y tomar notas escritas sobre él. Cuando llegue el momento de escribir anotaciones anecdóticas (fase 7), o informes (fase 8) dentro del proceso de diez fases, ya estará preparado para ello. Es más, y esto es una muestra de las ventajas que se derivan de la aplicación del proceso, el desarrollo de la competencia escrita le ayudará a desempeñar de forma más eficaz su labor como maestro de niños que comienzan a escribir.

El presente capítulo proporciona información básica sobre la evaluación y la calificación.

En el capítulo 2, se resumirá cómo ayudan los portafolios a la educación centrada en el alumnado y a configurar una práctica adecuada al desarrollo de los niños y niñas en la educación infantil y primaria.

En el capítulo 3, se describirán las fases que se deberán seguir antes de aplicar el proceso de diez fases de los portafolios.

En el capítulo 4 se esbozarán las líneas básicas de un portafolio y sus contenidos.

Para finalizar, el capítulo 5 guiará al docente a través de las diez fases del proceso. Asimismo, se describirá cómo cada paso fomenta la participación, y se expondrá la importancia de la implicación de los padres y madres, que puede convertirlos en estrechos aliados. También se apuntarán las características que convierten la evaluación basada en portafolios en un proceso de innovación y adaptación permanente, en el que deben probarse y revisarse nuevas técnicas de forma continuada. A lo largo del proceso, los docentes aumentarán sus capacidades y habilidades, los niños y niñas aprenderán de forma más eficaz, y los padres y madres se implicarán en el crecimiento y desarrollo de sus hijos.

Este proceso de diez fases no es una fórmula mágica, pero es mucho más simple que la mayoría de los sistemas de portafolios. Éstos suelen hacer referencia a métodos complicados de recopilación de información para reflejar el dominio del alumnado de determinadas habilidades y conceptos. En nuestra opinión, los métodos más simples, como los diarios de aprendizaje, las anotaciones anecdóticas y las conversaciones y entrevistas, pueden ayudar a los maestros y a los niños a recopilar información relevante y a establecer nuevos objetivos de aprendizaje basados en la mencionada información. Además, estas técnicas sencillas permiten la incorporación de los portafolios en el entorno cotidiano del aula. De esta manera, los portafolios de aprendizaje pueden convertirse en un aspecto esencial para la comunidad educativa y no ser simplemente un aspecto más del proceso educativo.

Cuando los docentes se encuentren cómodos con las técnicas más sencillas, podrán experimentar métodos más complicados de recopilación de información. Sin embargo, el proceso aquí recogido debe ser suficiente para sustentar a una comunidad educativa. Los modelos estandarizados y las tareas permitirán comparar los diferentes enfoques, pero no proporcionarán información individual sobre los niños y niñas con la misma riqueza y profundidad.

Los portafolios fomentan el aprendizaje basado en los alumnos y alumnas

La evaluación a través de portafolios debería centrar la atención de todos los miembros de la comunidad educativa –alumnado, profesorado y familia– en las importantes tareas del aprendizaje. El proceso estimulará el debate, la discusión, las sugerencias, las propuestas, el análisis y la reflexión.

Los portafolios que proponemos en este libro no comportan una excesiva acumulación de papel, ni exigen un gran esfuerzo para aplicar medidas de normalización, pero es exigente en lo que concierne al aprendizaje y reciclaje del profesorado, el alumnado y los padres y madres. Estas ideas permiten llevar a cabo una aproximación al currículo y a la enseñanza basada en el alumnado, que se conoce en la mayor parte de los ámbitos como *trabajo por proyectos*. A través de las conversaciones personales, así como de la observación individualizada con los alumnos y alumnas, será posible descubrir los temas y las cuestiones que les motivan a investigar y experimentar.

Cuadro 1

LAS 10 FASES DEL PROCESO DE CREACIÓN DEL PORTAFOLIO	
1	Establecer un plan para utilizar portafolios.
2	Recopilar muestras de trabajo.
3	Tomar fotografías.
4	Emplear los diarios de aprendizaje.
5	Mantener entrevistas con los alumnos y alumnas.
6	Hacer anotaciones sistemáticas.
7	Hacer anotaciones anecdóticas.
8	Escribir informes.
9	Mantener conversaciones a tres bandas sobre los portafolios.
10	Preparar portafolios acumulativos para el paso de un curso a otro.

El proceso de aplicación de los portafolios consta de diez fases, tal y como se muestra en el cuadro 1. Cuando se dominen todas ellas, será posible combinarlas. Por ejemplo, como los diarios de aprendizaje desembocan en las entrevistas personales, puede que el maestro quiera dispensar a algunos alumnos y alumnas de continuar con los diarios mediante la realización de conversaciones sobre ellos. Esto no significa que los diarios dejen de ser eficaces para el resto de los alumnos a la hora de fijar las tareas y objetivos. Todos los niños y niñas no desarrollarán la capacidad de reflexión sobre su trabajo a la misma velocidad, por lo que la estructura de las conversaciones sobre los diarios no será adecuada para todos ellos. Por otro lado, las anotaciones anecdóticas serán más recomendables para los niños y niñas que no se sientan cómodos en el entorno de las conversaciones. Las técnicas del portafolio que aquí se describen son flexibles. Esto permite al educador o educadora adaptar las estrategias de evaluación a las necesidades individuales de cada alumno.

Aplicación gradual de las diez fases

El proceso de diez fases está diseñado para permitir al profesorado de educación infantil y primaria, y al personal encargado de la administración de los centros educativos aplicar el sistema de portafolios de forma gradual. Así, puede comenzarse aplicando una de las fases sencillas del proceso y completar el mismo a lo largo de dos o tres cursos escolares, o pueden aplicarse las diez fases del proceso en un único curso. El primer paso es el establecimiento de un plan para utilizar los portafolios, aspecto del que se prescinde en muchos programas educativos que se lanzan a «emplear los portafolios» de forma precipitada. Tras ello, comienza la puesta en práctica de la estrategia más básica: la recopilación de muestras de trabajo. El proceso continúa para guiar a los maestros de educación primaria hasta el uso final y más importante de los portafolios: las conversaciones a tres bandas (conversaciones entre los padres y madres, alumnos y maestros), que además proporcionan material de investigación para realizar los informes.

Aprender a planificar de forma eficaz

El proceso de diez fases ayudará a los docentes a comprender mejor el desarrollo infantil y a planificar las actividades educativas de forma más eficaz. Este enfoque profesional de la observación generará, además, material para talleres, presentaciones, artículos, investigaciones e incluso para libros.

Implicar a las familias

Este proceso presenta además una nota distintiva. Se enfatiza el hecho de que los portafolios pueden abrir el proceso de aprendizaje a los padres, hermanos y otros miembros de la familia, lo que hará que se involucren en la vida del centro educativo. En este sentido, los portafolios se convierten en una herramienta para el desarrollo de un currículo basado en la familia.

Los maestros y los padres y madres que se comuniquen normalmente entre sí encontrarán una oportunidad para desarrollar un entorno de aprendizaje que incluye en su seno la escuela y el hogar. Por otro lado, para los maestros y padres y madres que no mantengan una comunicación rutinaria, la incorporación de temas, de material y de proyectos basados en la familia o en el entorno familiar pueden ser el comienzo de una comunicación entre el hogar y el centro educativo.

Bradley siempre había tenido interés en el comercio y el dinero. Llegó a dominar los conceptos matemáticos con facilidad y empleó las matemáticas como medio para determinar lo que podía comprar, vender o negociar. Su madre, al ver el interés de su hijo por las ventas al por menor, decidió ayudarlo para que se incorporara como aprendiz en una pequeña librería. Pagó al librero (con vales para comer en su restaurante) para que dejara que el chico aprendiera en la tienda.

El librero enseñó a Bradley cómo compraba y vendía los libros raros y usados. Le explicó el papel de los distribuidores en la venta de libros, el funcionamiento del lector del código de barras y de la caja registradora. Incluso, ayudó al chico a la hora de llevar a cabo una operación con tarjetas de crédito. Así, Bradley aprendió mucho acerca de los pequeños negocios. Estaba en tercero de primaria y tenía ocho años.

El mismo año, la profesora de Bradley programó un tema de economía. Pidió a sus alumnos y alumnas que crearán un negocio imaginario y que realizarán operaciones. Como proyecto final, los alumnos debían crear una «previsión económica» en forma de calendario o línea temporal.

La madre de Bradley comentó a la maestra el conocimiento que el niño tenía de primera mano de los comercios pequeños, y le sugirió que podría aplicar esos conocimientos al trabajo de economía. Sin embargo, la profesora le dijo que desafortunadamente la experiencia laboral del niño en la tienda no encajaba en la planificación del tema que ella había diseñado, por lo que el chico no podría compartir sus conocimientos con sus compañeros.

En una clase basada en los portafolios, la maestra habría aprovechado el interés de la madre de Bradley por apoyar el aprendizaje de su hijo. Habría animado a Pedro a escribir acerca de su experiencia como aprendiz de una librería en un diario de aprendizaje. Habría reconocido su dominio del tema y lo habría tenido en cuenta, y le habría pedido que continuara con la investigación del tema en clase.

De ese modo, *una evaluación basada en portafolios abre la puerta a un entendimiento entre el hogar y el centro educativo,* y ayuda a garantizar que se aprovechan las potencialidades e intereses particulares del niño y de su familia, para fomentar su completo crecimiento y desarrollo.

Conclusión

No se pretende sugerir aquí que el proceso de creación de portafolios sustituya a la evaluación normal, utilizada en la mayor parte de los centros educativos. Los portafolios no pueden apoyar la evaluación general si no es a partir de un trabajo muy duro por parte de los docentes y del personal administrativo de los centros educativos.

Graves (1992) apunta que los portafolios «son una idea demasiado buena» como para limitarse a ser una recopilación de datos cuyo propósito sea comparar a los alumnos y alumnas o establecer estándares de objetivos. Estamos de acuerdo con tal afirmación. La normalización de los portafolios reduciría el beneficio real de una evaluación basada en ellos, que constituye un marco o contexto para un proceso de aprendizaje más íntimo, individualizado y basado en el alumnado. No obstante, en los ámbitos en los que haya una presión importante por el uso de datos tangibles, los portafolios pueden aumentar la tendencia a evaluar el progreso del alumnado de forma limitada y a la comparación entre alumnos. Al mismo tiempo, será necesario educar a los padres y madres en los beneficios del empleo de diversas estrategias de evaluación, de manera que acepten que los exámenes normales no revelan cosas nuevas acerca de sus hijos o hijas, y que los portafolios no permiten comparar a los alumnos de una clase o de un país en lo que a los resultados y calificaciones se refiere.

Mientras que otros textos sobre los portafolios muestran cómo normalizar, evaluar e incluso puntuar los portafolios, éste no se ocupará de estos aspectos. Los sistemas educativos ya ofrecen mecanismos para comparar al alumnado, a las promociones, a los docentes, a los centros educativos y a los programas escolares. Ya existen demasiados boletines de notas, exámenes, certificaciones y concursos. Ya se puntúa, selecciona, promociona y rechaza a los alumnos y alumnas todo el tiempo. Por tanto, debe dejarse que los portafolios sean la base y el contexto del aprendizaje, y que sirvan como prueba y testimonio de las experiencias y logros de cada niño o niña.

Referencias

DEVRIES, R.; KOHLBERG, L. (1987): *Constructivist Early Education: Overview and Comparison With Other Programs.* Washington, D.C. National Association for the Education of Young Children. Citado en BURCHFIELD, D.W. (1996): «Teaching All Children: Developmentally Appropriate Curricular and Instructional Strategies in Primary-grade Classrooms». *Young Children,* 52, (1), pp. 4-10.

GRAVES, D.H. (1992): «Portfolios: Keep a good idea growing», en GRAVES, D.H.; SUSTEIN, B.S. (eds.): *Portfolio Portraits.* Portsmouth. Heinemann, 1.

GRAVES, D.H.; SUSTEIN, B.S. (ed.): *Portfolio Portraits.* Portsmouth. Heinemann, 1.

KATZ, L.G.; CHARD, S.C. (1989): *Engaging Children's Minds: The Project Approach.* Norwood. Ablex.

SEGAR, F.D. (1992): «Portfolio definitions: Toward a shared notion», en GRAVES, D.H.; SUSTEIN, B.S. (ed.): *Portfolio Portraits.* Portsmouth. Heinemann, 1.

VIADERO, D. (1995): «Even as Popularity Soars, Portfolios Encounters Roadblocks». *Education Week,* 14, (28).

Para saber más...

GARDNER, H. (1993): *Multiple Intelligences: The Theory in Practice; A Reader.* New York. Basic Books. (Véase Capítulo 12 «Intelligences in Seven Phases», que recoge un análisis sobre los roles en los portafolios). (Trad. cast.: *Inteligencias múltiples: la teoría en la práctica.* Barcelona. Paidós, 1995.)

GROSVENOR, L. y otros (1993): *Students Portfolios.* Washington, D.C. National Education Association.

NEIL, M. y otros (1995): *Implementing Performance Assessments: A guide to Classroom, School and System Reform.* Cambridge. The National Center for Fair and Open Testing.

PICUS, L.O. (1994): *A Conceptual for Analyzing the Costs of Alternative Assessment.* Los Angeles. National Center for Research on Evaluation, Standards, and Studying Testing. (CSE Technical Report 384. Disponible en CRESST, *Graduate School of Education and Information Services,* University of California, Los Angeles, Los Angeles, CA, 90024-1522.)

SIMMONS, J. (1992): «Portfolios for large-scale assessment», en GRAVES, D.H.; SUNSTEIN, B.S. (ed.): *Portfolio Portraits.* Portsmouth. Heinemann, 97.

TIERNEY, R.J.; CARTER; M.A.; DESAI, L.E. (1991): *Portfolio Assessment in the Reading-Writing Classroom.* Norwood. Christopher-Gordon Publishers.

2

¿Cómo ayudan los portafolios a desarrollar una educación basada en el alumnado?

2

¿Cómo ayudan los portafolios a desarrollar una educación basada en el alumnado?

Los portafolios ayudan a programar la educación, porque reflejan el desarrollo de los niños y niñas no sólo en el ámbito académico, sino también en los aspectos social, emocional y físico. El objetivo último de la evaluación a través de portafolios es, para muchos docentes de educación infantil y primaria, *apoyar la educación basada en el alumnado*. El proceso de diez fases ayudará a conseguir ese objetivo, creando una estructura de reflexión y comunicación mucho más amplia para el alumnado, el profesorado y las familias.

> Rian, de siete años, se ha mudado cuatro veces en seis meses. Normalmente, toma notas en su diario acerca de sus nuevos hogares. Su nueva maestra le sugiere que añada a su portafolio el tema «Tipos de hogar». Como consecuencia de ello, Rian escribe una redacción muy peculiar acerca de todas las casas en las que ha vivido. Después de varias revisiones, la redacción fue publicada en el periódico escolar.

El portafolio puede convertirse en el contexto en el que el niño o niña reflexione sobre las ideas y conocimientos que adquiere fuera de la escuela, lo que contribuirá a aumentar el interés por las actividades escolares que consisten en llevar un objeto y hablar sobre él al resto de compañeros.

Aunque no se ha analizado de forma profunda, la conexión entre la vida escolar y la vida familiar de los niños es tan importante como cualquier otra conexión entre el centro educativo y el hogar. De este modo, además, los alumnos y alumnas pueden reflexionar sobre su progresión y decidir lo que les apetece aprender después. Esta evaluación realizada por los niños y niñas, así como el proceso personal de toma de decisiones que comporta, es fundamental en el aprendizaje basado en el alumnado. Una evaluación basada en portafolios aplicada hasta sus últimas consecuencias ayuda a los alumnos a reflexionar sobre su propio trabajo, lo que permite establecer conexiones vitales entre los temas (los animales) y sus experiencias (observar el ciclo vital de una rana), conexiones que constituyen la base de la actividad intelectual y creativa.

Los niños y niñas que adquieren el hábito de pensar acerca de sus experiencias, de evaluar sus muestras de trabajo y de observar su progresión a la hora de investigar, escribir, experimentar o crear, aprenden gradualmente a establecer de forma autónoma sus propios objetivos. Por supuesto, la mayor parte de los niños no son capaces de adquirir esta experiencia sin ayuda y práctica previas. Las fases cuatro y nueve del proceso de creación de portafolios establecen las condiciones en el seno del aula para la evaluación y el desarrollo personal por parte de los alumnos y alumnas.

A menudo, esos objetivos pueden servir para definir la programación del currículo. Si varios alumnos se fijan el mismo objetivo, el educador puede programar actividades y ofrecer recursos para proporcionarles la información que necesiten. Por ejemplo, si el objetivo es aprender acerca de los lagartos, se puede llevar a cabo un proyecto de trabajo en el que se mostrará cómo encontrar información sobre estos animales en la enciclopedia, en el catálogo de la biblioteca o se traerán libros sobre el tema a clase y se animará a los niños a escribir, dictar o dibujar lo que hayan aprendido tras su consulta. Así, se conseguirá consolidar las habilidades de investigación en un proyecto iniciado por un alumno y se podrán proponer nuevos contenidos en el proceso de portafolios.

¿Qué debemos saber acerca de los alumnos y alumnas?

La National Association for the Education of Young Children (Asociación nacional para la educación infantil) identifica tres tipos esenciales de información para planificar de forma adecuada la experiencia educativa de los niños y niñas:

- El conocimiento de los propios alumnos.

- El conocimiento del desarrollo infantil.
- El conocimiento de la diversidad , por ejemplo, las diferencias relativas al origen social y cultural.

Este capítulo abundará en cómo la evaluación basada en portafolios recoge información de cada una de esas categorías informativas. En primer lugar, se abordarán las necesidades individuales dentro del grupo.

Conocimiento individual de los niños y niñas

Los portafolios proporcionan una estructura que propicia una variedad de encuentros personales entre los docentes, los alumnos y sus familias. Estos encuentros en el centro de educación infantil o primaria constituyen una oportunidad para profundizar en la forma de aprender de cada alumno, en sus capacidades individuales, sus intereses y sus necesidades. En cada uno de estos encuentros, el docente recabará información acerca de cada uno de los alumnos, lo que le permitirá llevar a cabo una programación razonada y tomar decisiones fundamentadas.

El desarrollo del proceso de creación de portafolios descrito en este libro fortalecerá de forma gradual las relaciones de los educadores con el alumnado y sus familias, especialmente a la hora de satisfacer la necesidad de conocimiento individual, mencionada anteriormente, e incluso para la implicación de las familias en las actividades.

Observar, conocer y comprender a todos los alumnos y alumnas es la base para la enseñanza y la evaluación eficaz.

Las fases de este proceso ayudarán al docente a conocer las habilidades y las potencialidades de todos los alumnos, y le permitirán avanzar a partir de ese conocimiento y buscar una mayor continuidad a la hora de tener en cuenta a los niños y sus familias.

Por otra parte, la evaluación basada en portafolios puede contribuir a adaptar los contenidos a cada alumno, incluso en clases que cuentan con un libro de texto como base del aprendizaje, o que se articulan a través de clases magistrales. Los beneficios son mayores, sin embargo, cuando los niños y niñas y sus familias se implican en una comunidad educativa genuina. En estos casos, los portafolios se convierten en punto de referencia para ellos porque contienen información acerca del desarrollo infantil y son fuentes de inspiración y reafirmación para los niños desmotivados.

Conocimientos acerca del desarrollo infantil

Es imprescindible poseer una base sólida acerca del desarrollo infantil en diversos aspectos (social, emocional, físico y académico), pues este conocimiento se configura como una competencia fundamental para los docentes de educación infantil y primaria. Por supuesto, nadie puede saberlo todo sobre el desarrollo infantil, la estructura familiar, la diversidad cultural, la adaptación a las necesidades particulares e incluso sobre las distintas propuestas educativas. Por ello, la formación permanente es básica.

Los portafolios fomentan el desarrollo profesional porque ponen de manifiesto temas importantes y significativos que dan pie a la investigación individual. Y esto es así, porque su aplicación exige que los docentes observen y evalúen aspectos de la programación educativa como los siguientes:

- ¿Ha resultado interesante esta actividad para todos los niños y niñas?
- ¿Cuáles son las razones de la indiferencia de algunos niños y niñas ante una actividad concreta?
- ¿Por qué algunos alumnos y alumnas muestran preocupación ante una actividad y cuál debe ser la actitud del docente frente a ella?

Cuanto mayor sea la observación del desarrollo infantil por parte del educador, mayores serán las dudas que le asalten. Por ejemplo, cuando reconozca las dificultades de un alumno para seguir instrucciones orales deberá incorporar a la clase otro tipo de instrucciones. Además, esta conclusión le animará a realizar sus propias investigaciones sobre los procesos de aprendizaje infantiles.

Por tanto, la observación le llevará a perfeccionar y a experimentar con diferentes estilos de enseñanza y, al mismo tiempo, a emprender sus propias investigaciones. La riqueza de la documentación acerca de los acontecimientos que se producen en el aula es la materia prima para esa observación.

Conocimiento de la diversidad

El profesorado de educación infantil es especialmente sensible a las necesidades y potencialidades individuales de los niños y niñas, aspectos fácilmente observables en la práctica educativa infantil. Por tanto, los portafolios son una buena estrategia para reforzar la diversidad cultural de los programas de educación infantil y proporcionar mayor respaldo a las necesidades especiales de algunos niños y niñas. Los portafolios fomentan la implicación de la comunidad educativa, una comunidad que debería incluir a niños y familias con diferentes lenguas, con discapacidades físicas, y albergar distintas estructuras familiares y culturales y distintos estilos de vida.

Es necesario, pues, que los programas de educación infantil contemplen y fomenten la implicación real y eficaz de las familias y, a la vez, sean sensibles a las diferencias que de hecho existen entre ellas. En este sentido nos referimos tanto al conocimiento de la diversidad propia de la estructura familiar (modelos de familia, estrato social, aficiones, ocupaciones...), como a la diversidad cultural, religiosa o étnica.

La evaluación basada en portafolios va más lejos en la implicación de las familias en la atención y el tratamiento de la diversidad de los niños y niñas. Los portafolios exigen que se pregunte a los alumnos y alumnas sus opiniones, lo que garantiza que las comunidades educativas sean más conscientes y sensibles frente a las diferentes experiencias, intereses y opiniones.

El método de enseñanza es un reflejo importante de esta diversidad. Los niños y niñas aprenden de maneras distintas. Esto depende de la lengua, del método cognitivo, del género, del temperamento y de otra serie de factores. La evaluación basada en portafolios permite al educador conocer mejor la aproximación individual al aprendizaje de cada uno de los alumnos.

Cuando la observación se convierte en una actividad cotidiana, aumenta el conocimiento acerca de las motivaciones individuales para aprender, del modo de aprender y de la forma correcta de evaluar los resultados del aprendizaje. Esto convierte la evaluación basada en portafolios en una eficaz herramienta para afrontar la diversidad cultural presente en los programas de educación infantil y primaria.

Además de la reflexión de los alumnos y alumnas y de la observación del docente, hay otra característica de los portafolios que contribuye a sustentar la diversidad. La recopilación de muestras y fotografías, los trabajos y las representaciones en relieve o en tres dimensiones, las grabaciones de audio y vídeo y otro tipo de actividades permiten a los alumnos, a los educadores y a los padres y madres conservar pruebas de las diversas inteligencias, entre ellas, la lingüística, la lógico-matemática, la espacial, la corporal-cinética, la musical, la social, la intrapersonal, y la natural. Esto además fomenta que los niños y niñas demuestren sus progresos, a pesar de que en sus hogares se hablen lenguas distintas. Por tanto, la evaluación basada en portafolios contribuye a que aflore el dominio de determinadas habilidades y conceptos.

La implicación de la familia en el proceso de creación de portafolios

Los niños y niñas crecen y se desarrollan como miembros de una familia. Por lo tanto, la eficacia de la educación infantil y primaria depende de la participación de los miembros de la familia en ella. Las estructuras familiares varían, pueden incluir a padres y abuelos, pueden ser familias adoptivas o tutores, e incluir a otros adultos, e incluso a los hermanos y hermanas mayores que se ocupan del crecimiento y desarrollo de los pequeños. Por brevedad, solemos referirnos a todos estos tipos de familia y a sus miembros como «padres y madres». La implicación de la familia en la educación infantil y primaria normalmente se ha desarrollado a través de la comunicación directa del docente con los padres y madres mediante entrevistas y mensajes escritos. En ese contexto, las entrevistas entre los padres y madres y el maestro constituyen la base de la intervención de los primeros en el proceso educativo de sus hijos e hijas. Esas entrevistas, en los primeros estadios de la educación infantil, pueden tratar de temas tan diversos como la hora de irse a dormir, el comportamiento y hasta las calificaciones y la evaluación. En todos estos casos, se trata de información importante que el educador debe compartir con los padres y madres, pero no hace que la implicación de éstos sea completa.

Es muy importante que los padres y madres se involucren en el proceso y se conviertan en partícipes del programa de educativo. Significa que deben conocer y entender cualquier cambio que se introduzca en el aprendizaje y el cuidado de sus hijos.

En otras palabras, *los cambios en el sistema de enseñanza y evaluación deben contar siempre con la implicación profunda de las familias.*

Comunicación con la familia

Afortunadamente, los portafolios pueden ser una herramienta muy valiosa a la hora de involucrar a las familias en la vida del centro educativo. Y ello, por dos razones fundamentales.

En primer lugar, *fomentan la estrategia comunicativa tradicional* en educación infantil, tanto a través de mensajes escritos y orales, como a través de las entrevistas formales entre los educadores y los padres y madres. Este libro, además, propone numerosas y variadas maneras de emplear las actividades de los portafolios infantiles para comunicarse con las familias. Las muestras de trabajo, las observaciones del docente y las reflexiones de los alumnos y alumnas son algunos de los materiales que pueden compartirse con los padres y madres de formas muy diversas. Es importante dotarse de una amplia gama de recursos para implicar a las familias y adaptar los recursos a cada situación familiar. Algunos recursos serán más útiles con padres o madres cuyo nivel lingüístico o nivel cultural sea bajo, o que simplemente no tengan muy fresco el recuerdo de su época escolar.

De igual modo, el proceso de creación de portafolios descrito en este libro prepara a los docentes y al alumnado para mantener conversaciones a tres bandas con los padres y madres, que son más enriquecedoras y productivas que las tradicionales entrevistas entre maestros y padres. Las conversaciones a tres bandas sobre los portafolios son una parte relevante dentro del sistema global de evaluación y de implicación de la familia. Garantizan, por otro lado, que los padres, los hijos y los docentes tengan la posibilidad de discutir y comentar el desarrollo del alumno varias veces a lo largo del curso escolar.

Desarrollo del currículo basado en la familia

En segundo lugar, y como aspecto que resulta más importante para que la reforma del sistema de evaluación sea duradera, los portafolios *ayudan al desarrollo de un currículo basado en la familia*. A medida que el propio alumno es capaz de participar en la definición de su aprendizaje, aumentan también las posibilidades de los padres de intervenir en el desarrollo curricular. Los currículos basados en la familia ofrecen a los miembros de ésta diferentes maneras de participar en el crecimiento y desarrollo de sus hijos. Los temas familiares y locales proporcionan a los padres y madres, y al resto de familiares, la oportunidad de intervenir en la creación y configuración de los currículos, lo que permitirá que éstos sean más adecuados para el desarrollo tanto de los niños y niñas como de la propia familia.

Cuando las preguntas o dudas del alumnado redundan en proyectos curriculares, aumentan las posibilidades de que la implicación de los padres y parientes sea eficaz. En este contexto, la comunidad educativa crece y aumenta la confianza de los padres y madres en las prácticas docentes. El currículo basado en la familia es un paso importante para la superación de los métodos tradicionales de implicación de la familia, y el proceso de creación de portafolios busca la comunicación a tres bandas permanente entre los niños, los miembros de sus familias y los educadores, que hace posible desarrollar ese currículo.

- El docente deberá aplicar la evaluación y la enseñanza basada en portafolios.
- Y además, deberá aumentar sus esfuerzos para conseguir una mayor implicación de las familias.

Estos son los objetivos de mayor calado y no son, por otra parte, objetivos que pueden conseguirse de forma sencilla. De hecho, el éxito a la hora de alcanzar cualquier objetivo dependerá en gran medida de que se definan de forma clara, de que sean alcanzables y del establecimiento de un calendario para su consecución. El proceso de creación de portafolios permitirá a los educadores y educadoras aplicar la evaluación basada en ellos de forma gradual y eficaz. La dinámica del proceso también permitirá configurar de forma distinta la participación de las familias en el programa educativo, de manera que los padres y madres entiendan, participen de forma activa y apoyen la evaluación y el aprendizaje de sus hijos e hijas. Por otro lado, el proceso presenta numerosas estrategias sencillas para involucrar a las familias, porque los centros educativos deben proporcionarles un abanico variado de posibilidades de participación, dadas las diferencias existentes entre ellas en cuanto a sus necesidades y a su capacidad de implicación.

La participación de los padres y madres en el proceso es amplia, y se pone de manifiesto, por ejemplo, en las exposiciones de las muestras de trabajo, en el envío de copias de fotografías de las actividades escolares e incluso en la organización de proyectos especiales a los que los familiares deberán asistir para colaborar con los niños y niñas. También se proporcionan técnicas que facilitarán la labor del docente con familias que tengan, por ejemplo, problemas de alfabetización, transporte o tiempo.

Todas las fases del proceso de creación de portafolios (capítulo 5) incluyen un apartado titulado «Implicar a las familias» que contiene sugerencias sencillas para utilizar las habilidades adquiridas acerca de los portafolios e involucrar a las familias. Asimismo, debe tenerse en cuenta que los programas de educación infantil y primaria eficaces presentan una amplia gama de recursos para implicar a todas las familias. Algunas estrategias serán más adecuadas para los padres y madres que se queden en casa, y otras para el caso de que ambos progenitores trabajen fuera de casa. Otras, en cambio, serán más apropiadas a las necesidades de las familias con escasos recursos económicos. En cualquier caso, es importante contar con un elenco amplio de estrategias, para poder adaptarlas a las necesidades de cada grupo familiar.

IMPLICAR A LAS FAMILIAS

Los portafolios pueden servir de punto de partida para la formación de una comunidad educativa que integre a los miembros de la familia con resultados satisfactorios, en especial como parte del equipo que evalúa los progresos de los alumnos y que planifica las nuevas actividades que deben ayudar a alcanzar los objetivos fijados. La implicación de las familias en los portafolios puede darse en tres fases:

Primera fase

Los miembros de la familia actúan como fuente de información del centro educativo o del aula: proporcionan material, información y colaboran de forma voluntaria en la investigación de los temas seleccionados, ya sean por el maestro o por los niños y niñas. Por ejemplo, después de que Carolina escriba en su diario que ha construido una silla con su abuelo, éste podría venir a clase para hacer una demostración sobre cómo construir muebles.

La responsabilidad última a la hora de contar con la participación de los familiares corresponde al educador. Este tipo de implicación trasciende la estrategia educativa tradicional, basada en la información dada a los padres y madres sobre los progresos de sus hijos, pero no supone una colaboración directa de la familia.

Segunda fase

Los miembros de la familia participan en la planificación de los temas. Por ejemplo, si el educador observa que un grupo de niños habla acerca de una inundación que se ha producido recientemente en el barrio donde se ubica el centro educativo, puede llamar a un padre o madre que conozca el tema y pedirle ayuda para preparar una sesión sobre las inundaciones. En esta fase, el docente ostenta aún la responsabilidad a la hora de contar con la participación de las familias.

Tercera fase

Los padres y madres se convierten en partícipes directos de la educación de sus hijos, pues pasan a identificar los temas y los recursos que pueden encajar mejor en la educación de éstos. Por ejemplo, el padre de Carolina escribe una nota para la maestra el día en el que la niña lleva una foto de su perrito para el juego de mostrar un objeto y explicarlo a los compañeros. En esa nota, el padre comenta el interés de su hija por los perros y pide a la maestra que deje a su hija explicar lo que ha aprendido acerca de estos animales.

En este momento del desarrollo de un currículo basado en la familia, la maestra, que se muestra muy receptiva a las propuestas de los padres y madres, pide a Carolina que resuma en su diario lo que ha aprendido y que luego cuente sus averiguaciones al resto del grupo. Así, los padres participan de forma directa en la evaluación de las necesidades e intereses de sus hijos.

Desarrollo profesional: ¿cómo ayudan los portafolios a la formación del profesorado?

La evaluación basada en portafolios puede ayudar a los maestros de educación infantil y primaria a aumentar sus conocimientos y su preparación. Entre estos conocimientos se incluyen los relativos al desarrollo infantil, las habilidades para las conversaciones y la observación, la capacidad para adaptar los entornos educativos a las necesidades de los niños y niñas, los métodos de desarrollo de currículos basados en el alumnado y las técnicas para la implicación de los padres y madres en la vida de sus hijos en el centro educativo y en el esfuerzo para trasladar aspectos de su vida familiar a este ámbito.

La importancia de los diarios de clase

Si el educador o educadora mantiene su propio diario de clase, éste puede articular una estrategia que estimule la reflexión y la evaluación personal. Los diarios de clase son un componente valioso en la evaluación basada en portafolios y en el desarrollo profesional del docente, pues por su propia constitución exige reflexionar sobre las observaciones diarias, elaborar notas sobre la programación y planificación educativas, e identificar las cuestiones que surjan en la práctica profesional. Además, los diarios de clase proporcionan al educador una práctica de gran valor a la hora de escribir sobre los acontecimientos y vivencias de los alumnos y alumnas, por lo que le ayudarán a afrontar las tareas escritas a lo largo del proceso de creación de portafolios.

Los portafolios y el desarrollo profesional

Los portafolios conforman también un contexto para el desarrollo profesional, porque proporcionan muchas estrategias para la acción investigadora orientada a dar respuesta a cuestiones sobre el currículo, la enseñanza, las normas de comportamiento, la implicación de las familias y otros temas relevantes. Al concentrarse en los intereses, en el progreso y las necesidades individuales del alumnado, los portafolios modifican la cultura del aula y el currículo con el objetivo de adecuar la práctica educativa al desarrollo infantil. Por ello, pueden servir de base para implementar modelos de currículo abierto, entre los que se incluyen recursos para el tratamiento de la diversidad, los proyectos de trabajo, y estrategias relacionadas con el proceso de adquisición de la lectura y la escritura.

La investigación en el aula

El mero hecho de aplicar los portafolios constituye, en sí mismo, un tipo de acción investigadora en el entorno educativo. Como docente, el educador debe experimentar de forma constante con nuevos métodos de enseñanza y evaluación. El descubrimiento de las técnicas más eficaces en su centro educativo o aula potenciará la calidad del programa en su conjunto. Desde este punto de vista, los portafolios fomentan el desarrollo profesional e incluso la revisión y evaluación del programa educativo.

Por tanto, la evaluación basada en portafolios propicia fundamentalmente la reflexión y la comunicación entre todos los miembros de la comunidad de aprendizaje, compuesta por los alumnos y alumnas, los docentes, el personal administrativo de los centros educativos y las familias.

Reflexión

Un maestro describió en su diario la excursión de Mateo, de cuatro años, y de Luis, de dos años, en busca de insectos:

> Mateo y Luis estaban interesados en los materiales de nuestro nuevo trabajo de investigación («casas» de insectos y lupas). Inmediatamente, estaban listos para empezar y yo los seguí. Dentro de un tronco encontramos cochinillas, caracoles, gusanos, hormigas y arañas. Probamos todo el equipo. Después, Mateo y Luis iniciaron una larga expedición para encontrar orugas. Para hacerlo, emplearon un equipo compuesto por tijeras para cortar las ramas en las que descasan los insectos y un cubo de plástico para guardarlos.

¿Cómo ayudó el diario de clase de este maestro al aprendizaje basado en el interés y motivación del alumnado? ¿Qué aprendió de Mateo y Luis? ¿La observación de ambos niños le llevó a desarrollar nuevas ideas? ¿Cuál debería ser el siguiente paso por parte del docente?

Conclusión

El proceso de creación de portafolios que se describe en este libro es, no sólo un medio para evaluar a los alumnos y alumnas, sino, sobre todo, un método de enseñanza. Mientras que algunas de las tareas y actividades iniciadas por los alumnos deberán puntuarse de acuerdo con los criterios establecidos, la mayor parte de las actividades de los portafolios sirve para facilitar el aprendizaje diario del alumnado de una forma ajustada a su desarrollo. Además, apoyan a la comunidad educativa en su conjunto, formada por los docentes y otros profesionales y por los miembros de la familia.

Por todo ello, el proceso de creación de portafolios desarrollado en diez fases redunda en una evaluación práctica y una implicación de la familia.

Referencias

BREDEKAMP, S.; COPPLE, C. (eds.) (1997): *Developmentally Appropriate Practice in Early Childhood Programs.* Washington, D.C. National Association for the Education of Young Children. (Edición revisada.)

GARDNER, H. (1991): *The Unschooled Mind: How Children Think and How Schools Should Teach.* New York. Basic Books. (Trad. cast.: *La mente no escolarizada: cómo piensan los niños y cómo deberían enseñar las escuelas.* Barcelona. Paidós, 1993.)

JAELITZ (1996): «Insect love: A field journal». *Young Children,* 51, pp. 31-40.

KATZ, L.G.; CHARD, S.C. (1989): *Engaging Children's Minds: The Project Approach.* Norwood. Ablex.

Para saber más...

ALBERTO, P.A.; TROUTMAN, A.C. (1990): *Applied Behavior Analysis for Teachers.* Columbus. Merril. (3.ª edición.)

ARMSTRONG, T. (1994): *Multiple Intelligences in the Classroom.* Alexandria. National Association for Supervision and Curriculum Development.

BREDEKAMP, S.; COPPLE, C. (eds.) (1997): *Developmentally Appropiate Practice in Early Childhood Programs.* Washington, D.C. National Association for the Education of Young Children. (Edición revisada.)

Esta nueva edición del «libro verde» es una referencia vital para los educadores y educadoras y profesores y profesoras. Está imbuida del espíritu de los portafolios como demuestra esta cita (p. 21): «La evaluación de los niños se basa sobre todo en los resultados de las observaciones de su desarrollo, en los datos descriptivos, y en la recopilación de muestras representativas del trabajo de los niños y niñas, y las tareas realizadas en situaciones reales y no artificiales. La información proporcionada por las familias, así como la evaluación de los propios alumnos y alumnas de su trabajo forman parte de la estrategia global de evaluación».

BURCHFIELD, D.W. (1996): «Teaching all children: Developmentally appropriate curricular and instructional strategies in primary-grade classrooms». *Young Children*, 52, (1), pp. 4-10.

COMER, J.P. (1992): «Educational Accountability: A shared responsibility between parents and schools». *Stanford Law and Policy Review*, 4, pp. 113-122.

DIFFILY, D.; MORRISON, K. (eds.) (1997): *Family-friendly Communication for Early Childhood Programs*. Washington, D.C. National Association for the Education of Young Children. (Páginas con información reproducible sobre temas relevantes como morder y la función del juego.)

DUFF, R.E.; BROWN, M.H.; VAN SCOY, I.J. (1995): «Reflection and self-evaluation: Keys to professional development». *Young Children*, 50, (4), pp. 81-88.

EVANS, P.M. (1994): «Getting beyond chewing gum and book covers». *Education Week*, 14, (7), pp. 34 y 44.

GENISHI, C. (ed.) (1992): *Ways of Assessing Children and Curriculum: Stories of Early Childhood Practice*. New York. Teachers College Press.

GRAVES, D.H.; SUSTEIN, B.S. (eds.) (1992): *Portfolio Portraits*. Portsmouth. Heinemann.

JAUCH, S.R. (1996): «My special grownup: A respectful piece of the diversity puzzle». *Young Children*, 51, (4), p. 73.

KAGAN, S.L.; MOORE, E.; BREDEKAMP, S. (1995): *Reconsidering Children's Early Development and Learning: Toward Common Views and Vocabulary*. Washington, D.C. National Education Goals Panel.

LEWIS, E.G. (1996): «What mother? What father?». *Young Children*, 51, (3), p. 27.

MARZANO, R.J.; PICKERING, D.; McTIGHE, J. (1993): *Assessing Student Outcomes: Performance Assessment Using the Dimensions of Learning Model*. Alexandria. Association for Supervision and Curriculum Development.

NATIONAL ASSOCIATION FOR THE EDUCATION OF YOUNG CHILDREN (1995): *Guidelines for Preparation of Early Childhood Professionals: Associate, Baccalaureate, and Advance Levels*. Washington, D.C. National Association for the Education of Young Children.

— (1996): «Responding to linguistic and cultural diversity: Recommendations for effective early childhood education». *Young Children*, 51, (2), pp. 4-12.

NEILL, M. y otros (1995): *Implementing Performance Assessments: A Guide to Classroom, School and System Reform*. Cambridge. National Center for Fair and Open Testing.

PUCKETT, M.B.; BLACK, J.K. (1994): *Authentic Assessment of the Young Child: Celebrating Development and Learning.* New York. Merrill.

RAMSEY, P.G. (1995): «Research in review: Growing up with the contradictions of race and class». *Young Children,* 50, (6), pp. 18-22.

SHORES, E.F. (1995): [Entrevista] «Howard Gardner on the eighth intelligence: Seeing the natural world». *Dimensions of Early Childhood,* 23, (4), pp. 5-7.

SIMMONS, J. (1992): «Portfolios for large-scale assessment», en GRAVES, D.H.; SUSTEIN, B.S. (eds.): *Portfolio Portraits.* Portsmouth. Heinemann, 97.

SPAGGIARI, S. (1993): «The community-teacher partnership in the governance of the schools», en EDWARDS, C.; GANDINI, L.; FORMAN, G. (eds.): *The Hundred Languages of Children: The Reggio Emilia Approach to Early Childhood Education.* Norwood. Ablex, pp. 91-101.

TIERNEY, R.J.; CARTER, M.A.; DESAI, L.E. (1991): *Portfolio Assessment in the Reading- writing Classroom.* Norwood. Christopher-Gordon Publishers.

YINGER, J.; BLASZKA, S. (1995): «A year of journaling; A year of building with young children». *Young Children,* 51, (1), pp. 15-19.

3
¿Por dónde empezar?

3

¿Por dónde empezar?

Hay varias maneras, todas ellas válidas, para prepararse antes de comenzar a aplicar las diez fases del proceso de creación de portafolios. No hay una razón concreta para empezar a emplear los portafolios. Por ello, las técnicas que servirán de punto de partida pueden ser distintas.

Veamos a continuación unos ejemplos:

La directora de un centro de educación primaria pidió al profesorado que participara en un debate acerca de la utilización de los portafolios, y dio la oportunidad a cada docente de que experimentara con los portafolios con plena libertad de criterio. Sólo siete maestros, en un grupo de veinticinco, respondieron a la invitación.

- Una profesora decidió cambiar el método de enseñanza de sus clases de ciencias e impartir sesiones eminentemente prácticas. A partir de este cambio se planteó cuál sería la estrategia de portafolios que se adaptaría mejor a sus objetivos.
- Otros maestros de educación primaria quisieron conocer las vivencias de los alumnos y alumnas durante el recreo y para ello elaboraron, por turnos, diarios basados en anotaciones anecdóticas de las actividades de los niños y niñas en el patio.
- Un maestro de educación infantil se decantó por tomar fotografías de los niños y las niñas para reflejar las distintas actividades en las que participaban. Su objetivo era analizar y evaluar los beneficios que extraían del tiempo que pasaban en el centro educativo.

Los maestros y maestras a los que se ha aludido optaron por formas diferentes a la hora de aplicar el sistema de portafolios. Sin duda, las actividades plasmadas en los portafolios de sus alumnos y alumnas fueron distintas. Todos ellos decidieron emplear una forma de evaluación más enriquecedora, profunda y adecuada que los exámenes tradicionales y las tareas de los libros de texto.

El uso de los portafolios puede iniciarse en cualquier momento. Al principio, dominar y aplicar una o dos técnicas durante el primer año de utilización de los portafolios puede ser suficiente para conseguir los objetivos fijados. A medida que avance en la aplicación del proceso, el maestro conocerá de forma más precisa las necesidades y la progresión individual de cada alumno. Cada fase del proceso, le permitirá profundizar en las estrategias de evaluación, siempre con el objetivo de potenciar el crecimiento y el aprendizaje de los niños. Además, los portafolios le ayudarán a recabar cada vez más información sobre el progreso de cada alumno, y sobre la eficacia de las prácticas educativas aplicadas. Con el tiempo, puede que incluso quiera colaborar con otros docentes para preparar portafolios acumulativos, que compartirá con otros docentes, como material clave para analizar la evolución del alumnado, o que desee adaptar algunas estrategias desarrolladas por otros programas educativos, o incluso integrar componentes de los sistemas de portafolios más comerciales.

En definitiva, cada fase del proceso descrito en este libro, anima al maestro a reflexionar sobre las necesidades a las que debe dar respuesta y sobre cómo puede emplear las técnicas abordadas en cada fase para alcanzar sus objetivos.

El proceso está diseñado para simplificar la aplicación de la evaluación basada en portafolios y para fomentar la reflexión y la comunicación entre los docentes, los niños y niñas y sus familias. El pulso de la educación infantil depende en gran medida de la relación permanente entre los docentes, los alumnos y las familias, y la comunicación que potencia la reflexión acerca de los acontecimientos, y que implica a todos los sujetos en la consecución de los objetivos comunes. Este libro esboza un proceso de creación de portafolios orientado a una mayor implicación de las familias, a una mayor reflexión por parte de los niños y niñas, y a un desarrollo profesional permanente por parte de los maestros y maestras de educación infantil y primaria.

Preparación

La estructura en fases secuenciadas de este proceso de portafolios está diseñada para guiar al docente de forma gradual a través de tareas que exigen una mayor implicación personal. Pese a que la secuencia guarda un sentido lógico, basado en la experiencia de las autoras, ello no significa que no pueda cambiarse el orden en el que se presenta. No obstante, es aconsejable no tener prisa por involucrar a los alumnos y alumnas y a los padres y madres en la evaluación de portafolios completos (fase nueve).

El proceso permite al docente aplicar la evaluación basada en portafolios en diversos momentos. En algunas ocasiones, la aplicación de los portafolios se inicia con un grupo pequeño en lugar de con toda la clase. Pese a que esto puede ser útil sobre todo a la hora de hacer anotaciones sistemáticas, en general, todas las fases del modelo pueden aplicarse a una clase entera al mismo tiempo.

Si comparamos los portafolios de la educación infantil con una casa, las muestras de trabajo y las fotografías serían las ventanas de la casa, mientras que las anotaciones escritas serían los cimientos. Llevar a cabo anotaciones escritas en los portafolios infantiles es una labor parecida a la del reportero de un periódico. Así, el educador debe tomar notas de lo que observa y debe presentar esas observaciones de forma que sean útiles al lector, ya se trate de los padres, de la administración escolar, o de futuros profesores. Si el maestro fragmenta la tarea de escribir acerca de la vida de su grupo escolar o de su clase en varias fases, la labor será más llevadera. Además, el proceso de creación de portafolios en diez fases está diseñado para potenciar y aumentar de forma gradual las habilidades del docente a la hora de escribir.

Leer mucho

El docente deberá dedicar unos minutos cada día a la lectura, tanto profesional como personal. Así, debe leer artículos o libros sobre la educación infantil, pero también leerá por placer. Las lecturas deberían ser de libros, periódicos o revistas. Además, durante el proceso de lectura, el maestro debe reflexionar sobre si la información que se deriva de ella es la que necesita o si ha leído artículos y libros mejores sobre el tema. También deberá prestar atención a la organización y al estilo de los artículos de las revistas. Así, observará si tienen subtítulos, si el autor comenta la idea principal en varias ocasiones durante el texto, y si el tono empleado es amable o autoritario. Las bibliotecas públicas coayudan en este sentido, tanto a recabar información como al préstamo de libros, revistas y otro tipo de materiales.

Comenzar a escribir

El educador o educadora deberá mantener un *diario personal* sobre sus aficiones o su familia. Al principio, empleará palabras familiares y frases cortas y simples. Para practicar la revisión de sus propios textos, repasará las notas del día anterior antes de comenzar a escribir. Tachará las frases redundantes y añadirá comentarios o información para completar los textos. También puede pedir ayuda a un compañero e intercambiar sus escritos con él. El intercambio le permitirá comentar los textos de su colega y observar si son claros, interesantes y si responden a todas las cuestiones planteadas.

Más adelante, escribirá sus propias *notas sobre lecturas.* Puede comentar, por ejemplo, en una nota breve a su hermana o a un amigo una novela que le haya gustado. También puede enviar su opinión sobre un artículo publicado en una revista profesional.

Finalmente, comenzará su *diario de clase.* Éste debe concebirse como una serie de mensajes cortos y diarios dedicados a planificar la actividad en el centro educativo o en el aula con comentarios sobre lo que funciona y no funciona, y a reflejar sus dudas sobre la labor educativa. Las siguientes son algunas cuestiones para reflexionar:

- «Adela nunca asiste a las sesiones de audio.»
- «¿Por qué me cuesta tanto mantener la atención de los alumnos y alumnas en las sesiones en grupo?»
- «La madre de Juan siempre parece estar enfadada conmigo. ¿Cuál será el problema?»

A partir de esas cuestiones el maestro reflexionará en busca de posibles respuestas. Recopilar información para responder a las preguntas puede ser la base de la evaluación fundamentada en portafolios, un nuevo tipo de evaluación destinado a responder a unas necesidades específicas. Si no ha sido una persona prolífica a la hora de escribir, mantener un diario personal le preparará para la tarea de hacer anotaciones escritas sobre los portafolios de los niños y niñas.

Es aconsejable emplear una libreta de anillas, o cualquier otro tipo de cuaderno que permita hacer anotaciones sobre diversos aspectos o temas. Asimismo, deben crearse apartados en los que se escribirán comentarios cada día, tales como listas de cosas por hacer, etc., y mantener el diario siempre a mano para poder hacer anotaciones en cualquier momento.

Además de comenzar un diario de clase, el educador deberá buscar un compañero, o un mentor, que le ayude en su redacción. Ese compañero que actúe de mentor leerá el diario de forma regular. Un buen mentor responderá de manera honesta a las notas del diario del docente y señalará los fragmentos poco claros o las ideas confusas. Esto ayudará al educador a crecer como escritor y a reflexionar sobre la práctica educativa. Con el tiempo, el compañero de diario puede participar o colaborar en la realización de los portafolios y ser el interlocutor con el que comentar de forma regular las nuevas estrategias de evaluación y el funcionamiento de éstas.

SEGUIR UN DIARIO DE CLASE

La mejor manera de iniciar el proceso de creación de portafolios en diez fases es seguir un diario de clase. Al hacerlo, el docente se preparará para la evaluación basada en portafolios por dos razones distintas:

1 Comenzará a reflexionar sobre el desarrollo y aprendizaje de los alumnos y alumnas.
2 Comenzará también a escribir.

Como se irá descubriendo a lo largo del proceso, la reflexión es el núcleo de la evaluación fundamentada en portafolios: la reflexión de los niños y niñas acerca de su propio trabajo y aprendizaje, la reflexión de los padres y madres y del resto de los miembros de la familia acerca de lo que sus hijos e hijas aprenden o hacen, y la reflexión del maestro.

Escribir conforma la tarea central de la evaluación basada en los portafolios. Las etiquetas para las muestras de trabajo, las anotaciones anecdóticas y, por último, los informes, son un claro ejemplo de que el proceso aquí descrito exige al maestro escribir de forma cotidiana.

El diario de clase ayudará al docente a adquirir esta habilidad. Si ya había mantenido antes un diario o tenía la costumbre de mantener correspondencia escrita con sus familiares o amigos, puede que ya esté preparado para comenzar su redacción. Si no fuera así, puede seguir, como sugerencia, las siguientes directrices:

- ¿Cuál ha sido el acontecimiento más fructífero del día?
- ¿Algún niño o niña ha hecho algún descubrimiento hoy en clase?
- ¿Ha habido algún alumno que haya explicado alguna cosa a un compañero?
- ¿Alguno de ellos preguntó algo que pueda dar pie a investigaciones o proyectos?

También puede elegir a un alumno o alumna o a un grupo de ellos como base para las entradas del diario. En ese caso, puede responder a las siguientes preguntas:

- ¿Qué actividad fue adecuada para (David) hoy?
- ¿Ha demostrado (David) algún progreso en una área determinada?
- ¿Ha tenido problemas hoy?

Concentrarse en un niño o niña o en un grupo concreto le ayudará a prepararse para la realización de anotaciones sobre observaciones sistemáticas.

Una vez haya creado su diario de clase y haya escrito varias veces por semana, puede que quiera pedir a algún compañero que lo lea y que le haga comentarios sobre su contenido. Este lector puede responder a las siguientes preguntas:

- ¿Son completos y claros los comentarios sobre lo ocurrido en clase?
- ¿Son adecuadas las preguntas que se hacen con respecto a estos acontecimientos?

Implicación de la familia en la evaluación basada en portafolios

Al proporcionar a los niños y niñas, a los familiares y a los docentes muchas oportunidades de comunicarse entre sí acerca del objeto del aprendizaje, los portafolios fomentan el desarrollo de un currículo basado en las familias. Cada fase del proceso creación de portafolios obliga a los niños y a sus padres a reflexionar sobre el trabajo realizado y los objetivos futuros. Además, el proceso hace hincapié en la importancia de involucrar a los progenitores y al resto de los miembros de la familia en cada fase de la aplicación de la evaluación basada en portafolios.

La clave del éxito de la reforma del sistema de evaluación de la educación infantil y primaria consiste en informar y comprometer a las familias en el mayor número de facetas de la práctica académica. Por ello, cuando se comience a cambiar el método de calificación y evaluación, y, por tanto, cambien los mecanismos a través de los que se informa a los padres sobre los progresos de sus hijos e hijas, será importante comunicar y explicar estas variaciones con antelación.

Del mismo modo, cada vez que se inicie la aplicación de una nueva fase del proceso, deberá comunicarse a los padres a través de una carta, de un artículo en la revista escolar, de una presentación, o a través de cualquier otro medio.

Los padres y madres deberán estar al corriente de la ampliación que se está llevando a cabo en el repertorio de técnicas de evaluación y en el esfuerzo encaminado a comprender mejor la manera en la que sus hijos e hijas aprenden y sus necesidades. Algunos de ellos ya habrán visto los portafolios en sus visitas a clase, pero, además, el maestro o maestra deberá compartir con ellos los resultados de las actividades que los conforman en las entrevistas sobre la progresión de los alumnos y alumnas. Finalmente, a medida que se introduzcan nuevas actividades y se recopile información, el docente contará con más material para mostrar en las reuniones con los padres y madres, por lo que éstas pueden servir para explicar la contribución de los portafolios a la comprensión del desarrollo de los niños.

Hay diversos métodos que pueden ayudar a esta comunicación con las familias, entre ellos algunos formales, como la *Adaptative Behavior Scale for Infants and Early Childhood* (Escala de comportamiento para la educación primaria) (Leland, Shoace, McElwain y Christie, 1980), la *Vineland Adaptative Behavior Scale* (Escala Vineland de comportamiento en la educación primaria) (Sparrow, Balla y Cicchetti, 1984), el *Battelle Developmental Inventory* (Inventario Battelle sobre el desarrollo) (Newborg, Stock, Wnek, Guidubaldi y Svinicki, 1984) y el *Parent Inventory of Child Development in Nonschool Enviroments* (Inventario para padres sobre el desarrollo de los niños en entornos no escolares) (Vincent y otros, 1983). Todas las anotaciones sobre la evaluación realizadas por los padres y madres deberán incluirse en el portafolio personal del alumno o alumna.

Evaluación en casa

Un medio para implicar a las familias es pedirles que recopilen información. Los padres y madres son fuentes de información esenciales en la evolución de los niños, pues cuentan con la oportunidad de llevar a cabo una evaluación natural, en casa, que los maestros no pueden realizar de forma presencial.

Para ayudar a esta evaluación natural en el hogar, el docente puede proporcionar muchos instrumentos a los padres y madres. Incluso, puede que baste con pedirles que confeccionen una lista sencilla de capacidades e intereses de su hijo o hija varias veces a lo largo del curso escolar.

Estas listas también permitirán a los progenitores potenciar el aprendizaje de sus hijos y fomentar en casa juegos adecuados a su desarrollo. A continuación se presenta una muestra que puede copiarse y enviarse a los padres.

¿Cómo te quiero? Vamos a contar las maneras:

Jugamos juntos

- Yo pregunto: «¿Qué podemos hacer juntos?»
- Sigo a mi hijo cuando jugamos.
- Halago la creatividad de mi hijo y su buen hacer en el juego.
- No critico a mi hijo cuando jugamos.
- Juego a menudo con mi hijo.
- Jugamos dentro, fuera, en el coche o en el autobús, con juguetes o con la imaginación.

Hablamos

- Hablo con mi hijo sobre lo que estamos haciendo.
- Hablo con mi hijo sobre lo que vemos.
- Pregunto a mi hijo o hija qué piensa.
- Suelo decirle lo que pienso hacer a continuación cuando estamos juntos. Por ejemplo, le digo: «Debería usar el freno porque vamos cuesta abajo» o «Son más de las doce. El cartero llegará pronto» o «Me pregunto cómo seguirá la historia. ¿Crees que el niño encontrará a su perrito?».

Leemos juntos

- Le leo sus libros favoritos en voz alta.
- A veces, cuando no estamos leyendo, menciono a algún personaje o alguna historia de sus libros favoritos.
- A menudo, pido prestados libros en la biblioteca o a los vecinos.
- Leemos distintos tipos de libros: libros con ilustraciones, libros de poemas o canciones, cuentos, e incluso libros para adultos sobre arte y ciencia.
- A veces, buscamos cosas en el diccionario, en la enciclopedia o en otros libros de referencia.
- Le hablo acerca de los libros y las revistas que leo para divertirme.

Proporcionar una lista de los utensilios de la casa que contribuyen al aprendizaje, como los cuencos, puede servir para que los padres y madres conciban el hogar como un entorno educativo. Para ser más divertida, esta lista puede tener la forma de un «mercadillo». Se puede ser creativo y enviar a los padres listados con ésta o con sus propias versiones sobre otros temas.

«El mercadillo»

Los juguetes más educativos no son caros. Busque los juguetes y los materiales que pueden ayudar a su hijo o hija a divertirse y a aprender en casa.

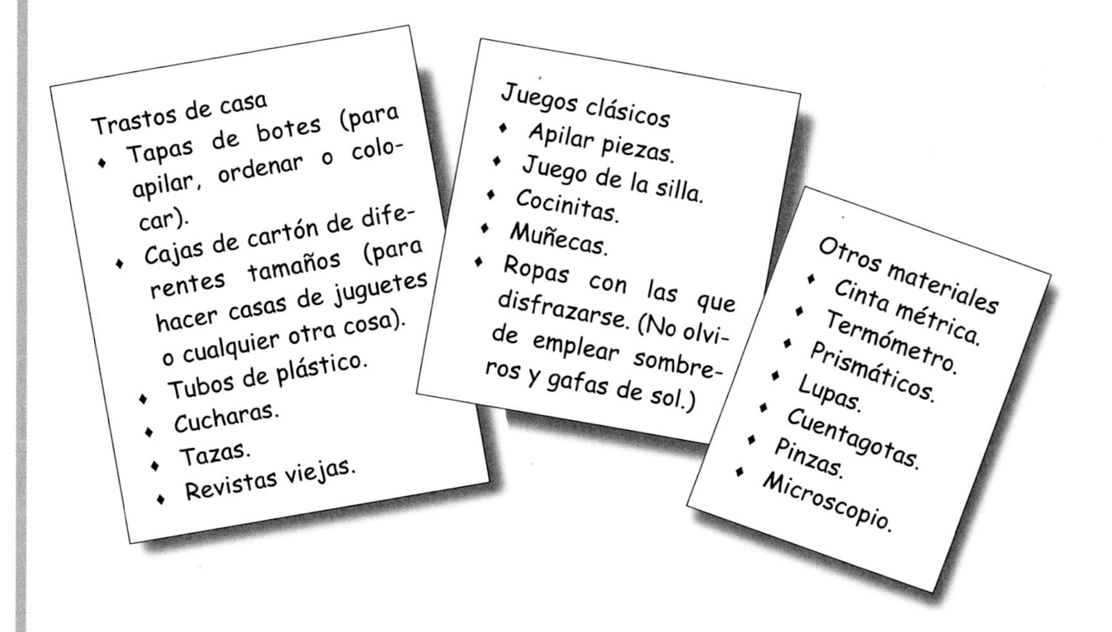

Conclusión

En este capítulo, se han proporcionado algunas ideas acerca de cómo prepararse para aplicar la evaluación basada en portafolios. El educador o educadora debe revisar estas sugerencias y, si es posible, comentarlas con sus compañeros antes de llevarlas a término.

En el capítulo 4, se describirán los elementos que se incluyen tradicionalmente en un portafolio, para, ya en el capítulo 5, comenzar a desarrollar el proceso de creación de portafolios, estructurado en diez fases, paso a paso, de forma práctica y eficaz.

Acerca de los modelos de las diez fases

En el apéndice (p. 179-186) se proporcionan algunos modelos de los documentos necesarios para cada una de las fases. Estos documentos no son imprescindibles; al contrario, el docente puede crear los suyos o, simplemente, utilizar papel normal a la hora de tomar notas en las distintas fases del proceso.

No obstante, los documentos aportados pueden resultar útiles, dado que se comienza a trabajar con un sistema de evaluación novedoso. Si desea usarlo, puede hacer copias de ellos y tenerlos a mano en el aula, e incluso emplear un color distinto para cada uno de ellos.

Reflexión

Margarte M. Voss y Laurie Mansfield eran compañeras en un centro de educación primaria. Cuando Mansfield decidió comenzar a utilizar los portafolios para comprender mejor el desarrollo de sus alumnos y alumnas a la hora de escribir, Voss, profesora e investigadora, realizó observaciones sobre el grupo dos veces por semana, desde febrero a mayo. Ambas hablaban bastante acerca de las estrategias que Mansfield empleaba. Más tarde, Voss describió de esta manera sus reflexiones sobre los aspectos educativos:

«Después de las visitas, hablábamos un rato durante el almuerzo o por teléfono. Intenté actuar más como una observadora que como una participante. Proporcioné a Laurie algún material de lectura y, cuando me preguntaba, comentábamos algunos aspectos. Le pedía que me expusiera sus ideas, más que expresar mis opiniones, y le sugería alternativas que podía tener en cuenta, porque quería ver cómo le influían sus experiencias en clase a la hora de tomar decisiones». (Voss, 1992, p.18)

Estas dos profesoras compartieron sus observaciones durante sus reuniones personales. A partir de este caso, le sugerimos que reflexione sobre las siguientes preguntas:

- ¿Cómo puede potenciar el crecimiento profesional tener un compañero o compañera de diario?
- ¿Cuenta con compañeros con los que colaborar en este sentido?
- ¿Cómo llevaría a cabo el intercambio de diarios?

Referencias

TURNBULL, A.P.; TURNBULL, H.R. (eds.) (1986): *Families, Professionals and Exceptionality: A Special Partnership.* Columbus. Merrill.

VOSS, M.M.: «Portfolios in first grade: A teacher's discoveries», en GRAVES, D.H.; SUSTEIN, B.S. (eds.): *Portfolio Portraits.* Portsmouth. Heinemann.

Para saber más...

CLEMMONS, J. y otros (1993): *Portfolios in the Classroom: A Teacher´s Sourcebook.* New York. Scholastic Professional Books. (Breve y útil resumen de las técnicas de cinco educadores y educadoras de educación primaria para incorporar a los portafolios. Incluye modelos reproducibles.)

GILBERT, J.C. (1993): *Portofolio Resource Guide: Creating and Using Portfolios in the Classroom.* Ottawa. The Writing Conference.

LINDER, T.W. (1990): *Transdisciplinary Play-based Assessment: A functional Approach to Working With Young Children.* Baltimore. Paul H. Brookers Pub. Co.

WILTZ, N.W.; FEIN, G.G.(1996): «Evolution of a narrative curriculum: The contributions of Vivian Gussin Paley». *Young Children,* 51, (3), pp. 61-68.

4

Los portafolios y sus contenidos

4

Los portafolios y sus contenidos

¿Qué son los portafolios?

Todos desean saber en qué consiste un portafolio de trabajo y qué incluye. En realidad, no hay dos portafolios iguales. Del mismo modo que no hay dos niños o niñas iguales, las actividades que articulen su aprendizaje también deben ser distintas. Igualmente, tampoco es posible que dos docentes diseñen un portafolio igual, aunque empleen las mismas estrategias para hacerlo.

La mejor respuesta que puede darse a la pregunta de cuáles son los materiales que componen un portafolio es, por tanto, la siguiente: *el portafolio es una recopilación de elementos o materiales que ponen de manifiesto los diferentes aspectos del crecimiento personal y el desarrollo de cada niño o niña a lo largo de un período de tiempo.*

Esta recopilación puede iniciarse con un único tipo de elementos, como las muestras de trabajo, y más tarde ampliarse e introducir en el portafolio otro tipo de material. Esto proporcionará al educador tiempo para probar las nuevas estrategias de evaluación, adaptarse a ellas y dominarlas antes de pasar a emplear otras nuevas.

El proceso de creación de portafolios estructurado en diez fases permite al docente experimentar cada estrategia de evaluación y descubrir otras nuevas que le serán muy útiles en la planificación de la labor educativa.

En este capítulo se abordarán, en primer lugar, los tres tipos de portafolios para, a continuación, explicar con detalle los distintos elementos que pueden recopilarse e incorporarse en ellos.

Tipos de portafolios

Hay tres tipos de portafolios:

1 Los portafolios privados.
2 Los portafolios de aprendizaje.
3 Los portafolios acumulativos que se comparten con los futuros maestros del alumno.

Son ya muchos los docentes que emplean el primer tipo, el portafolio privado. Los portafolios de aprendizaje harán que la reflexión y la comunicación en el seno del centro educativo y con los padres y madres sean más profundas y enriquecedoras. Los portafolios acumulativos, destinados a otros educadores, les ayudarán a conocer mejor a sus futuros alumnos y alumnas.

En ocasiones, las funciones de los tres tipos de portafolios descritos se solapan. Al dividir la información y las notas sobre cada niño o niña entre los tres portafolios, se asegura la confidencialidad de la información, se facilita el acceso permanente de los alumnos y alumnas a los proyectos que están realizando y se evita que las muestras de trabajo más importantes se extravíen.

El portafolio privado

Los maestros y maestras de educación infantil o primaria suelen mantener diferentes tipos de anotaciones escritas acerca de sus alumnos. Algunas de estas anotaciones, como el historial médico o los teléfonos de contacto de la familia, son confidenciales. La confidencialidad también es importante a la hora de recopilar otro tipo de material escrito. Por ello, el maestro deberá mantener fuera de los portafolios de aprendizaje de los niños las anotaciones anecdóticas, las anotaciones sistemáticas, y las procedentes de las entrevistas con los padres y madres. Pese a que esta información no se guarda en los portafolios de los niños y niñas, constituyen una parte importante de la evaluación basada en portafolios, porque documentan sus progresos en un período concreto.

Cada anotación escrita aumenta o hace más profundo el conocimiento sobre el alumno al que se refiere. Sin embargo, es importante que las decisiones sobre la ubicación o sobre otras materias que les afecten no se tomen a partir de cualquier tipo de anotación escrita.

Los portafolios privados de los alumnos o alumnas deberán guardarse en un cajón o en un armario seguro para proteger su intimidad y la de sus familias.

Los portafolios de aprendizaje

Éste es el portafolio de mayor tamaño y en el que más trabajan el educador y el niño. Puede contener notas, bocetos o dibujos preliminares para proyectos que se estén realizando; muestras de trabajo recientes y el diario de aprendizaje del niño o niña. En el momento en el que comiencen a mantener conversaciones formales sobre el portafolio, éste será el archivo de material que consultarán el docente y los alumnos. Los archivadores de tipo acordeón serán adecuados para albergar este tipo de carpetas porque son bastante resistentes. Los niños y niñas podrán guardarlos en sus propios armarios o por orden alfabético en una estantería baja.

Debe recordase que el portafolio de aprendizaje es una recopilación de material que pertenece a los alumnos o alumnas.

Los portafolios acumulativos: instrumentos que recogen el progreso académico del alumno

Las muestras de trabajo que reflejen un avance importante o problemas persistentes deben archivarse en este portafolio, que se comparte con otros docentes. Al principio, será el maestro quien seleccionará estas muestras, pero más tarde los propios niños o sus padres pueden escoger los elementos que pasen a conformar este portafolio.

Las fotografías seleccionadas, las anotaciones y copias de los informes deberán también formar parte del portafolio acumulativo, que presentarán el propio profesor, el alumno y los padres al docente del curso venidero.

Uno de los beneficios de los portafolios acumulativos es que los alumnos y los futuros profesores pueden revisar el trabajo anterior y encontrar sugerencias para nuevos proyectos. Así, un maestro de primaria puede encontrar temas para las reflexiones de su diario de clase en los portafolios de educación infantil del alumno. Por ejemplo, si en el portafolio de Ana aparece un dibujo sobre el nacimiento de su hermano, ocurrido el año anterior, el educador podría sugerirle que haga un dibujo o que escriba una historia sobre cómo ha crecido el niño. Si, por ejemplo, los informes sobre Samuel señalan una preferencia por los cuentos de los hermanos Grimm, el nuevo profesor podría sugerirle que escriba sobre algunos cuentos de estos autores. (Hay que desestimar la idea de que emplear el trabajo del año anterior es copiar y, por lo tanto, hay que animar a los niños y niñas a seguir avanzando sobre la base de sus conocimientos e intereses.)

Cuando el centro escolar comience a usar los portafolios, será importante definir una estrategia clara acerca de los elementos que deberán incluirse en ellos y los que se guardarán en archivos abiertos para que los alumnos y alumnas los examinen y los usen. También deberá establecerse de forma clara, y dejar constancia por escrito si fuera necesario, que los portafolios son propiedad de los niños y niñas (o de sus padres o tutores) y fijar el momento en el que el portafolio acumulativo deberá devolverse a éstos.

Comentario sobre los portafolios en formato electrónico y laser disc

Algunos maestros innovadores han empleado sistemas electrónicos para almacenar los portafolios. Así, los maestros y los alumnos pueden guardar muchos de los elementos de los portafolios descritos en este libro en un disco que pueda usarse en un ordenador. Son sistemas interesantes. Sin embargo, el coste económico y temporal hace que los portafolios digitales resulten poco prácticos para la mayoría de los docentes. Otra cuestión es si este tipo de sistemas facilita o dificulta el acceso de los padres y madres.

Este libro hace hincapié en técnicas simples y prácticas que aumentarán la implicación de las familias, por tanto el maestro, según el contexto y el conocimiento de la diversidad de su alumnado, ha de valorar el uso de los sistemas electrónicos en el caso de centros de educación infantil.

Elementos de los portafolios

La creatividad del maestro o maestra es el único límite a la hora de definir los elementos y contenidos de los portafolios. Como se verá a lo largo del libro, la variedad de elementos que pueden recopilarse y archivarse para documentar el desarrollo de los alumnos es extraordinariamente amplia.

Abrir un portafolio bien estructurado es para los niños, los padres y maestros como abrir el cofre del tesoro. Algunos de los materiales recopilados provocarán risa, otros traerán recuerdos y otros inspirarán a los alumnos y alumnas (y a sus familias y maestros) para probar nuevas actividades o para repetir y mejorar las antiguas. En todo caso, los elementos del portafolio proporcionarán información sobre el crecimiento y desarrollo de los niños y niñas.

Los elementos más típicos son las muestras de trabajo. Entre ellas, las más comunes son los dibujos y las muestras de texto. Sin embargo, el valor y la utilidad del portafolio aumentarán a medida que se añadan elementos de otro tipo.

En este apartado, se profundizará en las muestras de trabajo y en los diarios de aprendizaje, las fotografías, las anotaciones escritas y los documentos de audio y video.

A la hora de decidir los contenidos del portafolio, el educador o educadora deberá actuar como el director de un museo y establecerá un plan de selección y priorización de contenidos a partir de la investigación y de los objetivos del centro educativo. Así, por ejemplo, a partir de la selección y priorización de contenidos, el director de un museo botánico no aceptará la donación de un mueble victoriano, pese a que esté muy bien conservado. Del mismo modo, para el maestro de educación infantil, seleccionar y priorizar el contenido de los portafolios será la guía que le permitirá tomar las decisiones en este sentido, de manera que todos los elementos seleccionados y archivados tengan un propósito determinado. Al hilo de lo comentado, en el capítulo 5 se concretará cómo establecer un plan que ayude a seleccionar y priorizar las muestras de trabajo para los portafolios de educación infantil (véanse las páginas 112 y 113).

Muestras de trabajo

Si las reflexiones de niños y niñas, padres y maestros sobre el aprendizaje son el núcleo de la evaluación basada en portafolios, las muestras de trabajo son la columna vertebral de esas reflexiones. Los dibujos, textos y las manualidades de los alumnos y alumnas son la prueba material del desarrollo de sus habilidades cognitivas y su creatividad. Por ello, su recopilación y evaluación a lo largo del tiempo, revela sus progresos.

> Judy Taylor, una profesora de educación primaria, describe, al revisar las muestras de trabajo de todo un año de un niño determinado que era:
>
> «uno de los que peor lo hacía en clase. [...] Sin embargo, cuando volví a revisar las muestras que había recopilado sobre su trabajo, pude observar una progresión clara. Cuanto más las observaba, más valoraba el desarrollo de su competencia a la hora de escribir y más evidentes resultaban sus avances». (1996, p. 39)

Uno de los mayores e interesantes beneficios de la recopilación y evaluación basada en portafolios es que confirma el trabajo de los educadores y educadoras que han llevado a cabo prácticas adecuadas al desarrollo infantil y que, además, anima al resto de maestros a empezar a ponerlas en práctica. Después de todo, no es posible recopilar muestras de trabajo a no ser que los alumnos realicen sus propios trabajos, por lo que esa recopilación hace que el grupo vaya más allá de los ejercicios tradicionales y las manualidades que consisten en copiar modelos.

Además, recopilar muestras de trabajo permite al docente conservar *fuentes primarias* de información de los progresos de sus alumnos. Las *fuentes primarias* son originales, materiales sin modificaciones, tales como dibujos, cartas o historias realizadas por los niños. Por contra, las calificaciones y la comparación del aprendizaje de los niños y niñas, como los exámenes, son *fuentes secundarias*; son el resultado de la interpretación de una persona acerca del aprendizaje infantil, en lugar de ser la prueba misma del aprendizaje. Para aprender algo nuevo, los investigadores deben encontrar e interpretar fuentes primarias. De la misma manera, la recopilación de muestras de trabajo es un buen primer paso para la evaluación basada en portafolios, pues permite al docente darse cuenta de las necesidades e intereses de cada uno de los alumnos.

En los programas de educación infantil, las muestras de trabajo de un portafolio completo contendrán trabajos artísticos, dictados y textos que indican el aumento de nivel de la alfabetización incipiente de los niños y niñas. En un entorno ideal, los niños y niñas dictarán o escribirán textos sobre sus experiencias matemáticas o científicas, de manera que las muestras de trabajo proporcionarán información acerca de esas áreas de aprendizaje. En el caso de niños y niñas de mayor edad, los resultados de las tareas, como los problemas de matemáticas o los experimentos científicos, también constituirán valiosas muestras de trabajo.

Además, lo ideal sería que todas estas muestras fueran acompañadas de un comentario del maestro. Escribir estos comentarios puede ser el primer paso para hacer anotaciones escritas, como se expondrá en el capítulo 5.

El análisis detallado de las muestras de trabajo, permitirá al docente identificar las pruebas del desarrollo infantil y la práctica y el dominio de los objetivos curriculares.

Trabajos artísticos de los niños y niñas

La mayor parte de los programas de educación infantil permiten a los niños y niñas crear sus propios dibujos y obras de arte. Las muestras de estos trabajos son un elemento necesario en los portafolios infantiles. En cambio, los niños y niñas de educación primaria tienen pocas oportunidades de crear sus propias obras de arte originales, lo que resulta lamentable. No sólo se pierde así una vía importantísima de aprendizaje interdisciplinar, sino que además los educadores no incorporan estos trabajos artísticos diarios a los portafolios; esto supone sacrificar unas posibilidades extraordinarias de evaluación. De hecho, la reducción de los trabajos artísticos en los portafolios de los alumnos de primaria revela más sobre las deficiencias de los currículos educativos que sobre los propios niños y niñas.

En la mayoría de los casos, las habilidades para el dibujo evolucionan desde los garabatos hasta la representación de una manera bastante predecible, aunque la velocidad de esa progresión varía de forma significativa. Los dibujos seleccionados pueden mostrar el progreso del alumno. Etiquételos con el nombre completo del niño o niña, la fecha y comentarios como «Muestra del prolífico trabajo artístico de Rosa en esta época».

Unos educadores infantiles recopilaron muestras para documentar el desarrollo de las capacidades para el dibujo de sus alumnos y alumnas:

- En la primera serie de muestras, el niño avanza desde la fase de los garabatos y alcanza la fase de dibujos pre-esquemáticos en un período de catorce meses.
- En la segunda serie, el niño se mueve de forma alternativa entre los garabatos y los garabatos controlados durante un período de ocho meses antes de pasar a la fase pre-esquemática.
- Después de once meses, un dibujo en el que aparecen el sol y un pájaro volando demuestra que ha alcanzado la fase esquemática.

Fase de garabatos
(15 de noviembre)

Fase de garabatos controlados (25 de marzo)

Fase pre-esquemática (30 de enero)

Fase de garabatos (7 de diciembre)

Fase de garabatos controlados (8 de diciembre)

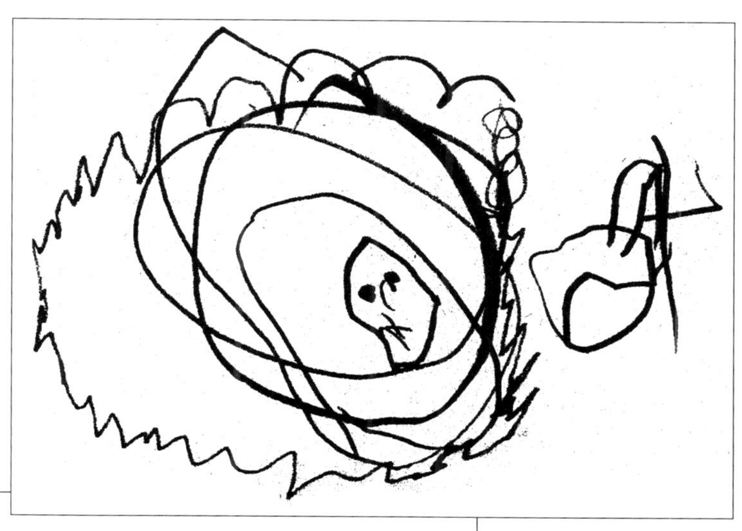

Fase de garabatos (26 de enero)

Fase esquemática (13 de noviembre)

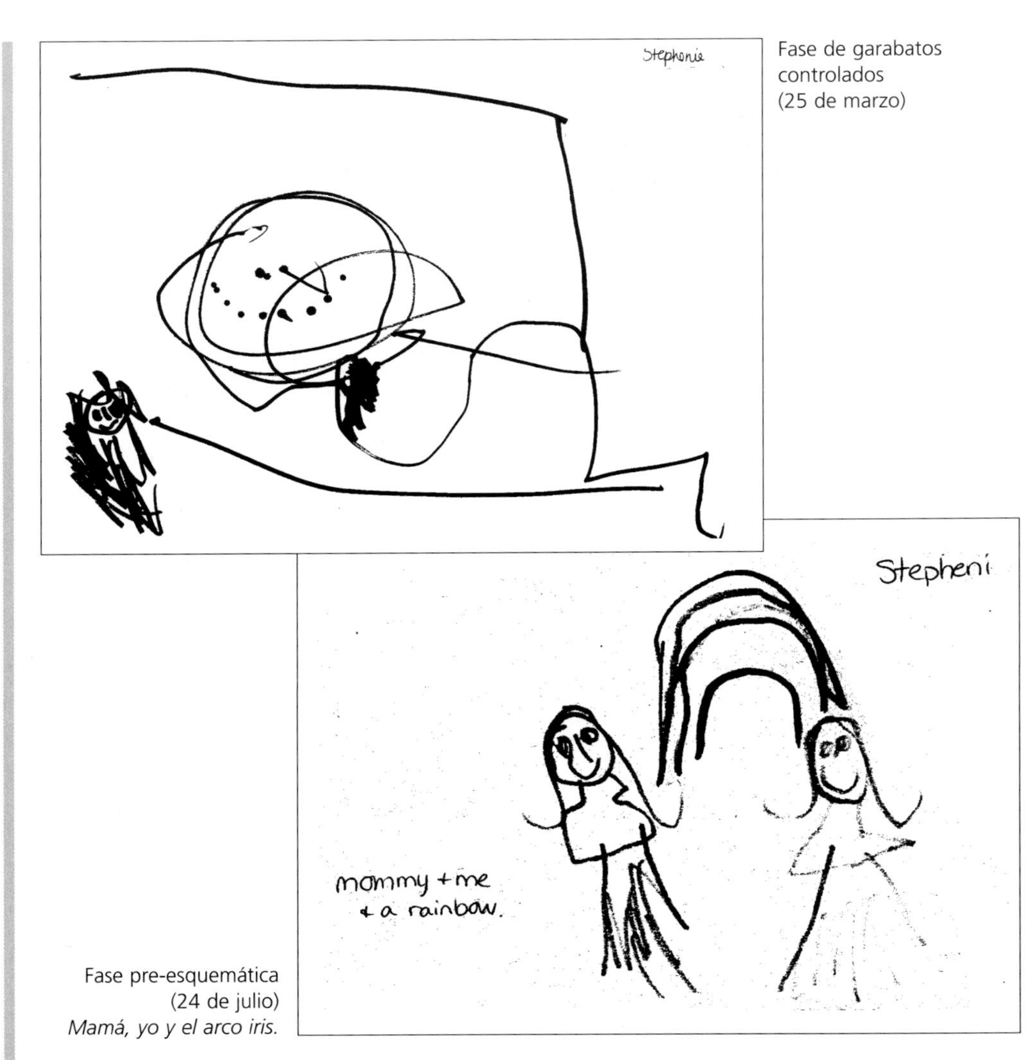

Fase de garabatos controlados (25 de marzo)

Fase pre-esquemática (24 de julio) *Mamá, yo y el arco iris.*

Muestras de trabajo por cortesía del Educational Research Center de la Florida State University.

Dictados infantiles

Los dictados son una actividad importante para el niño o niña que aprende a escribir, porque demuestran la existencia de conexiones entre el juego y la narración, entre el lenguaje escrito y el lenguaje oral. Son un tipo de muestras de trabajo importante, porque revelan la habilidad de los niños y niñas para emplear el lenguaje expresivo. Las narraciones de experiencias y las explicaciones de los dibujos o de otras producciones son un material útil para los portafolios pues reflejan las opiniones de los niños y niñas, así como sus sentimientos y reflexiones.

Se deberán recoger los dictados de forma regular, y adjuntar comentarios con información del tipo: «Manuel describió así su escultura» o «Manuel se ofreció voluntario para explicar sus vacaciones». Los dictados deberán guardarse en formato de texto, en cintas de audio o de ambas maneras.

Una pesadilla

Me gusta jugar. Mi mamá y mi papá vinieron a la escuela el primer día de clase. Yo estaba un poco asustada y tuve una pesadilla. Pensaba que mi profesor iba a ser malo.

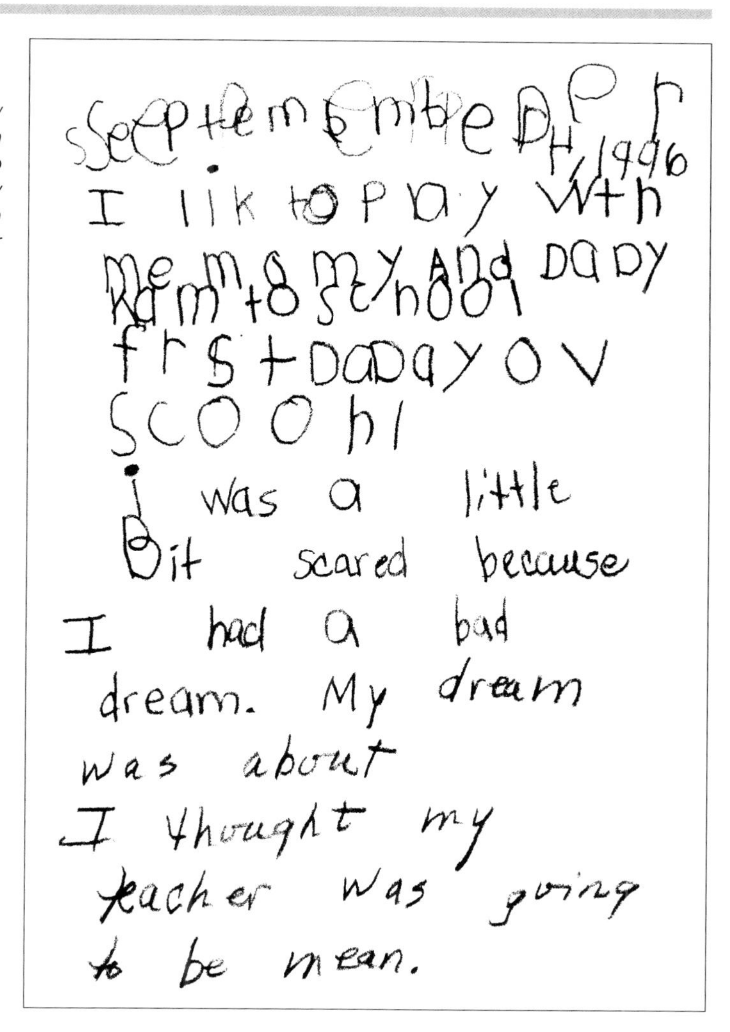

Muestra de trabajo cortesía de Erika Rice y Carolyn Blome.

Se sugirió a esta niña de primer curso de primaria que dictará frases en su nuevo diario sobre la experiencia de comenzar el curso. Escribió las dos primeras frases. Además, dictó otra frase durante las sesiones que realizó con dos adultos. El proceso de dictado permitió a Erika expresar el miedo que tenía cuando comenzó la educación primaria. La muestra revela que durante la segunda sesión de dictado, Erika cambió su opinión y añadió una nueva frase, lo que apunta su incipiente habilidad para revisar sus propios textos.

Muestras de escritura

Las muestras de escritura de los niños y niñas son el tercer tipo fundamental de muestras. Hay una amplia variedad de elementos de esta categoría adecuados para los portafolios:

- La firma de los niños y niñas.
- Comentarios sobre los dibujos.
- Cartas a los padres y madres y a otras personas.
- Diarios.
- Informes.
- Historias realizadas por los niños y libros.

Los borradores de escritura son muy valiosos. Guardar los primeros borradores tiene dos funciones:

- Demuestra al alumno (y a sus padres) que la revisión es una parte importante del proceso de escritura.
- Constituye una prueba del proceso de escritura del niño. Por ello, puede resultar un diagnóstico útil para ver si el alumno o alumna necesita ayuda para mejorar en la escritura.

La maestra de esta niña guardó muestras de escritura durante un período de cinco meses. Las muestras recogidas reflejaron de forma evidente su progresión a la hora de escribir durante el primer curso de primaria. La maestra empleó las muestras de escritura seleccionadas para la puntuación y evaluación de la alfabetización emergente de Kelley. A partir de estos conocimientos sobre sus necesidades, pudo planificar los comentarios que debía sugerir a la alumna para mejorar, como el uso de las mayúsculas.

23 de noviembre

13 de enero

14 de enero

Jan 14, 1993
Mi mom aed dad
red to me evr nit.

mi mom aed dad like
to red to me evr nit,
we sit on the
kah oed red, we
aed WHAT A BAD
DREAM THE
SNOWY DAY MY
Bratr rns the Bouk

Mar. 29, 1993
I like my friends taye or nise
I lik my friends taye like me
I met tam at school taye
ornise I like my friends
my mom and dad like my friends

29 de marzo

Muestras de trabajo por cortesía de Carolyn Blome.

Apunte sobre los diarios infantiles

Muchos maestros de primaria fomentan que sus alumnos y alumnas mantengan un diario. Estas libretas o carpetas pueden contener las respuestas de los niños a las preguntas del día, o pueden ser diarios privados.

Los diarios pueden utilizarse de diferentes maneras, pero deben realizarse con precaución. En caso de que el maestro haya animado a los niños y niñas a escribir sobre sus pensamientos y sentimientos, los diarios no deberán enseñarse a los demás compañeros, salvo que el niño o niña esté de acuerdo. Esto significa que los textos de un diario no suelen ser materiales adecuados a la hora de diseñar el contenido de un portafolio, a no ser que se haya consultado al alumno sobre el empleo del material con antelación.

La evaluación de las producciones de los niños y niñas

Las actividades y los proyectos son diseñados por los maestros o por los especialistas en currículos para evaluar el dominio de los alumnos y alumnas de acuerdo con los objetivos concretos del aprendizaje. Estas evaluaciones son más comunes en los programas de primaria que en la educación infantil. Como estrategia para la revisión del programa, la evaluación de las producciones de los niños y niñas puede constituir un método alternativo o complementario a los exámenes estándares y de criterio uniforme, compuestos por preguntas de verdadero o falso o tipo test.

Las evaluaciones de las producciones bien realizadas revelan el progreso en relación con varios objetivos y se incluyen en el material curricular basado en la familia. Las evaluaciones de las producciones presentan además la ventaja de poder adaptarse a las diferencias culturales.

Los mensajes escritos, los dictados sobre reseñas de libros, las demostraciones, los experimentos y las actividades sencillas en grupo, tales como agrupar objetos de acuerdo con dos criterios distintos, son ejemplos de evaluación basada en tareas apropiadas para el alumnado de primaria. Pueden parecerse a actividades que habitualmente se lleven a cabo en el aula, de modo que no contraríen ni pongan nerviosos a los niños. De hecho, las tareas y las producciones pueden servir no sólo como medio de evaluación, sino también como experiencia de aprendizaje. En los portafolios que incluyen tareas y actividades, los borradores y los intentos fallidos pueden ser tan formativos como el resultado final.

Fotografías

La fotografía es un método eficaz para conservar y presentar la información sobre lo que los niños aprenden y sobre cómo lo aprenden. Recuerdan a los niños y niñas sus actividades y ayudan al docente a informar a los padres, además de permitir conservar pruebas de los proyectos, como, por ejemplo, las actividades realizadas en grupo o los trabajos manuales que no pueden guardarse en el portafolio. Aunque supone un coste elevado, asumir ese coste es extremadamente recomendable. Además, en el proceso de creación de portafolios estructurado en diez fases, la fotografía presenta un beneficio añadido, pues se configura como paso intermedio hacia la elaboración de informes escritos.

La fotografía registra los acontecimientos de forma muy rica. Al igual que los historiadores analizan las fotografías antiguas como documentos del pasado, buscando en ellas pistas acerca de dónde y cuándo tuvieron lugar determinados acontecimientos y otros detalles como el vestuario o la vegetación, e investigan sobre la relación entre las fotografías y los hechos que retratan, los maestros las utilizan por razones similares, esto es, porque retratan la vida de la clase, en particular cuando es posible tomarlas de forma natural.

Pueden servir también para documentar el progreso de un alumno o alumna a lo largo del curso: «María lee su redacción en voz alta a otro niño por primera vez, el 25 de marzo».

Por otra parte, los maestros o los propios alumnos pueden fotografiar en varios momentos la evolución de los trabajos y, así, crear un archivo fotográfico sobre lo que estaban trabajando. Por tanto, las fotografías, junto con las diapositivas de escenas de clase, pueden ser un material fascinante al organizar una muestra de las actividades de clase.

Además de los beneficios descritos, la fotografía es importante dentro del proceso de creación de portafolios por otras dos razones:

1. Ayuda a los docentes a poner en práctica sus habilidades de observación.
2. Sirve como punto partida para los registros o anotaciones escritas.

Mantener a mano una cámara y observar los acontecimientos para decidir capturar aquellos que merezcan la pena obliga al educador a prestar mayor atención al valioso alboroto del aula. Muchos de estos acontecimientos, que antes parecían insignificantes, adquieren importancia en el momento de decidir si son dignos de ser fotografiados o no. Este estado de conciencia, de alerta, es el que debe mantenerse al seleccionar o rechazar hechos para hacer anotaciones anecdóticas, cuando no resulte práctico usar la fotografía.

Cuando el maestro observa al grupo, se da cuenta de que Alicia y David tienen el grifo del fregadero abierto. Están comparando la capacidad de diferentes recipientes: llenan los recipientes con agua que vierten en otros recipientes. Con tranquilidad se acerca a ellos para escucharlos. Alicia comenta que la botella más baja contiene más agua que la alargada. El maestro, al darse cuenta de que están descubriendo las propiedades del volumen, hace una fotografía para captar este momento del aprendizaje de los niños.

Una pequeña diapositiva y una nota registrarán la información de que «Alicia y David decidieron jugar con recipientes e investigar el volumen durante el tiempo libre en clase».

Las fotografías también pueden servir de ayuda a la hora de hacer anotaciones anecdóticas. Al principio, puede que convenga esperar hasta que las copias estén reveladas para escribir las notas sobre cada acontecimiento. Así, cuando revise las fotografías, el educador o educadora podrá escribir una descripción de lo que reflejan. Tomará nota de cuándo y dónde tuvo lugar ese hecho, para poder demostrar los beneficios de la planificación y la programación de sus clases. Por otra parte, escribir estas anotaciones cortas mientras examina de manera relajada un nuevo juego de fotografías, dará seguridad al docente a la hora de escribir, de construir las frases y de decidir la extensión de las mismas. Más tarde, puede poner en práctica su nueva habilidad elaborando anotaciones anec-

Una foto del patio de recreo en la que Willie, de seis años, muestra sus incipientes habilidades motrices.

Fotografías cortesía de las autoras.

Piezas apiladas
(21 meses)

Juego simbólico
(2 años y 5 meses)

Coge la pelota
(3 años y 8 meses)

Fotografías por cortesía de Susan Turner Purvis.

Una alumna sostiene una marioneta de cerámica para que su profesora la fotografíe

Con esta fotografía, este alumno podrá guardar en su portafolio este enorme dibujo

Esta fotografía retrata la construcción de una torre con piezas antes de dibujarla

Fotografías por cortesía de Susan Turner Purvis.

Diarios de aprendizaje

Un diario es un registro de actividades. Entre los diversos tipos de diarios, los que resultan más familiares son los diarios de navegación. En él, el capitán anota cada día cuanto sucede a lo largo de una ruta marítima. En muchas clases de educación infantil, los diarios de lectura son resúmenes de los libros que los niños y niñas han leído. En ellos, cada anotación se compone del título, nombre del autor y quizá un comentario breve del niño o niña.

A corto plazo, el objetivo de aplicar los diarios de aprendizaje es individualizar, en cierto modo, la planificación del aprendizaje. Así, el diario se convierte en una estrategia para sondear a cada alumno y descubrir nuevos modos para motivarle. El objetivo, a largo plazo, consiste en conseguir que cada alumno sea capaz de establecer sus propios objetivos educativos y planificar sus actividades académicas.

El diario de aprendizaje es una variante de los típicos diarios de lectura. En él, el niño registra –por escrito, mediante dictados o dibujos–, no sólo los libros que ha leído, sino también los hechos que observa, las personas a las que conoce y sus experiencias. El diario de aprendizaje es similar a un diario personal, con la diferencia de que se centra en las opiniones del alumnado sobre lo que ha aprendido y lo que desea aprender a continuación.

Además, el diario contiene también las experiencias educativas del niño en casa con su familia, en el trabajo de su padre o madre, durante sus vacaciones, etc. Consiste, pues, en un apunte sobre todo aquello que el niño aprende y le interesa, en él se recogen los hechos e ideas que descubre, los libros que lee, las películas y las actuaciones que ve e, incluso, las cosas que se pregunta o las dudas que le asaltan. Es, por tanto, una herramienta útil para los niños y niñas que aún no leen o escriben, pues refleja todos los ámbitos de su desarrollo educativo. De hecho, los diarios de aprendizaje infantiles pueden concebirse como la extensión de los diarios en los que las maestras y maestros de educación infantil anotan los acontecimientos cotidianos de la vida de los pequeños, como las comidas o la siesta.

Estos diarios podrán consistir en unas hojas en blanco grapadas, en una serie de modelos de hojas de aprendizaje (véase el apéndice de la página 182) guardados en un portafolio, o en una libreta fina o incluso en una libreta encuadernada en tela, esto dependerá de la edad de los niños y de los recursos al alcance del docente. Se irá modificando el formato a medida que los niños crezcan y desarrollen sus habilidades para escribir. No obstante, sea cual sea su formato, el diario deberá permitir hacer anotaciones escritas sobre la comunicación con cada niño acerca de los progresos de su aprendizaje.

Una de las razones fundamentales para introducir los diarios de aprendizaje en las fases iniciales del proceso de creación de portafolios es que éstos ayudarán a captar y conservar las formas de aprendizaje que otras muestras de trabajo no pueden reflejar. Por ejemplo, las anotaciones pueden referirse al aprendizaje matemático de los niños. Otra segunda razón para aplicarlos es que proporcionan una base para las conversaciones periódicas entre el docente y el alumnado, que fomentan una relación genuina en la que los niños pueden preguntar y formular hipótesis con absoluta confianza. En tercer lugar, ayudan a configurar los materiales curriculares: las conversaciones sobre ellos pueden dar pie a nuevos temas para discusiones en el seno de pequeños grupos o del grupo al completo. (De igual modo, los comentarios del grupo pueden dar lugar a temas para las conversaciones individuales.)

Los niños y niñas disfrutan con la historia que se ha leído en voz alta. A continuación, durante una entrevista sobre los diarios con la maestra, Lorenzo comenta la intrincada orla de la cubierta del libro y copia una parte de la misma en su diario. A partir de ello, la docente le sugiere que busque otros libros con orlas en la biblioteca y las compare.

En este proceso de creación de portafolios, los diarios de aprendizaje constituyen una fase importante por dos razones: por un lado, dan lugar a conversaciones breves entre el maestro y los niños; por otro lado, proporcionan una oportunidad constante de escribir breves comentarios acerca de las ideas y los intereses de cada alumno, y son una preparación previa al mantenimiento de anotaciones escritas más extensas.

«Hoy te has dibujado con las gafas puestas. Espero que escribas algo la próxima vez. Me gusta leerte». 14 de marzo (Comentario de la maestra)

Muestras de dibujo por cortesía de Susan Turner Purvis.

Yo hice un dibujo de un pollito.
Comentario de la maestra: «Es un cuadro bonito del pollito». 16 de mayo

Hoy hemos pintado nuestro cocodrilo. Luego hicimos otro.
18 de abril

Y yo hice un bebé con huevos.
Comentario de la maestra: «Es un dibujo extraordinario de tu cocodrilo de cerámica».
18 de abril

Muestras de dibujo por cortesía de Susan Turner Purvis.

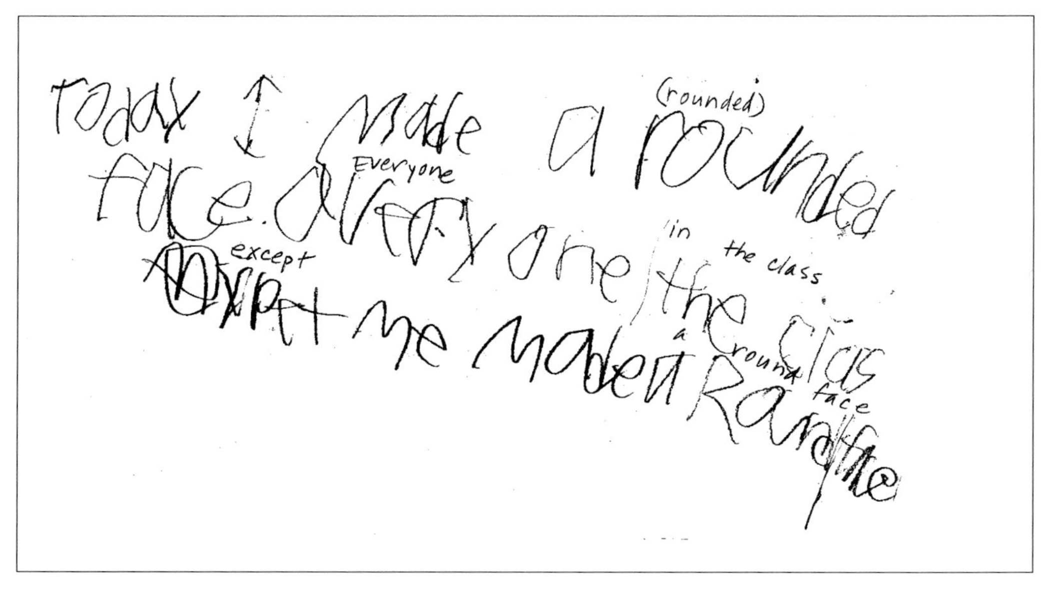

Hoy hice una cara redondeada, todos en clase menos yo hicieron una cara redonda.
Comentario de la maestra: «Es cierto. Eres el único de la clase que hecho una cabeza de muñeco en tres dimensiones. Las esculturas de los demás eran planas». 11 de marzo

Jake hizo el boceto del dibujo que había hecho ese día en una hoja de papel de menor tamaño.
Comentario de la maestra: «Buen boceto de tu dibujo». 20 de mayo

Muestras de dibujo por cortesía de Susan Turner Purvis.

Jake escribió de forma exuberante. Para destacar cómo le gustaba dibujar con lápices de colores escribió «muy» seis veces: *Pienso que será muy muy muy muy muy muy divertido dibujar con ese palo. Fue muy divertido. Béisbol, fútbol, baloncesto, hockey, juegos.*
Su maestra le contestó: «Me alegra que te guste dibujar como a Henri Matisse. Dibujaste a Richard (te reíste mucho) y después lo disfrazaste con el traje de receptor de béisbol». 20 de mayo

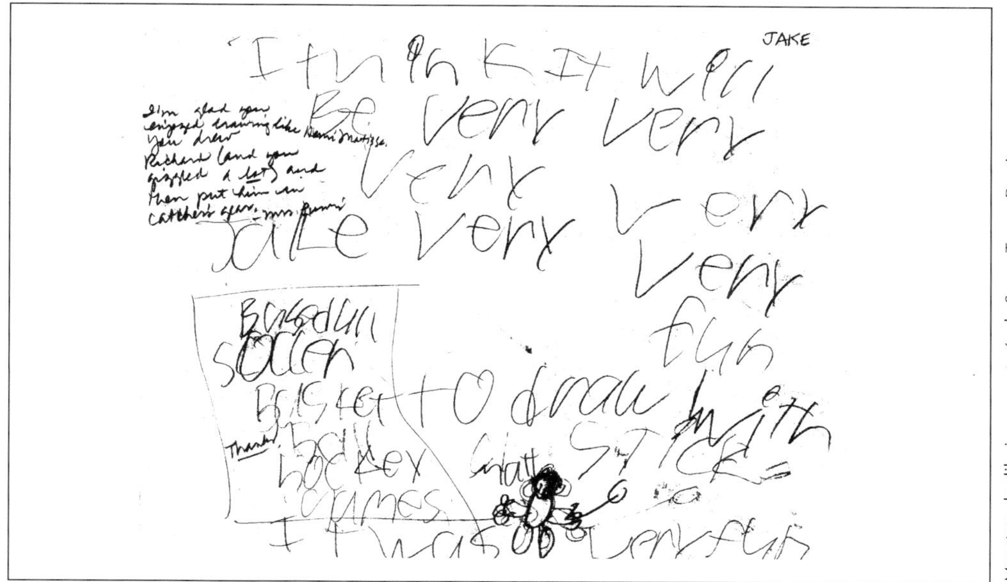

Muestras de dibujo por cortesía de Susan Turner Purvis.

Registros y anotaciones escritas

Pese a ser deseable, la comunicación personal y directa con los padres y madres puede resultar difícil de conseguir. La comunicación escrita debe ser la base de los nexos entre la escuela y las familias. A través de una variedad de archivos y anotaciones escritas, la evaluación basada en portafolios permite a los profesores y profesoras comunicarse con el alumnado y con su familia, incluso en el caso de que las reuniones personales resulten imposibles.

Los *registros y las anotaciones de carácter sistemático* documentan la observación programada del alumnado y, por tanto, constituyen la mayor parte del material para fundamentar las decisiones curriculares y académicas. Un *registro de anotaciones anecdóticas* es algo parecido a un álbum familiar, un tesoro de pruebas del desarrollo individual de cada niño o niña en el tiempo.

Los *resúmenes de las conversaciones sobre los portafolios* reflejan las ideas de todos los miembros de la comunidad educativa sobre el aprendizaje y las actividades de los niños y niñas. Los *informes* son resúmenes de las experiencias de aprendizaje de los alumnos que reflejan la opinión del profesor y la información derivada de las muestras de trabajo, los diarios de aprendizaje y otros elementos del portafolio.

Desde el momento en que se adjuntan los comentarios del maestro a las muestras de trabajo, a las fotografías y a los diarios de aprendizaje, se da un paso importante hacia el mantenimiento de notas y archivos escritos. Esos comentarios deben servir para disipar las dudas del maestro a la hora de escribir, pues son realmente una constatación de competencia en ese sentido. Además, demuestran que el docente ha adaptado su horario para ganar tiempo y poder tomar estas anotaciones escritas, lo que a su vez revela que es consciente de que ese tiempo empleado no es tiempo perdido y que, más bien al contrario, proporciona información vital para su archivo y utilización posterior.

En este apartado, se expondrán distintos tipos de anotaciones y archivos escritos que complementan esos comentarios breves del profesor o profesora. En primer lugar, se tratarán las entrevistas, que son una extensión de las conversaciones sobre los diarios de aprendizaje y un paso intermedio hacia las conversaciones sobre los portafolios. Por ejemplo, en una *conversación sobre el portafolio* con Antonio, puede que él y el maestro hablen de los libros que el alumno ha leído la semana anterior, los zapatos nuevos que lleva puestos, o sus ideas para jugar durante el recreo. Al detectar que aumenta su interés por las adivinanzas, el educador puede concertar una *entrevista* en la que consulten varios libros de adivinanzas y hablar sobre los distintos tipos. De este modo, puede que el niño se anime a crear su propia antología. Su proyecto quedará archivado en su portafolio y trabajará en él de forma esporádica. Más tarde, es posible que el tema de la antología vuelva a aparecer en alguna *conversación sobre el portafolio* entre el profesor y Antonio para revisar sus progresos o para hacer planes para acabarlo.

Entrevistas

Las entrevistas son la ocasión para que el docente y el alumno o alumna puedan hablar en mayor profundidad de un tema. Puede que el tema sea la suma y que el maestro trate de evaluar la comprensión del alumno sobre esa operación matemática y su habilidad verbal para expresar sus ideas, o puede que el tema sea un libro que el niño o niña haya leído y analizado. Las preguntas informales pueden hacer que haga una reflexión sobre la lectura o que realice su propio comentario sobre el libro. Las entrevistas son, por tanto, una oportunidad para comentar la información y las ideas con el alumno en una situación natural, a la vez que permiten evaluar el dominio de determinados conceptos y habilidades.

Pueden tener lugar de forma espontánea durante las conversaciones sobre los diarios de aprendizaje o en el centro educativo, o puede que sean planificadas y fijadas por el educador. Las notas que éste tome durante la entrevista servirán para recoger información vital acerca de lo que el alumno piensa y quiere aprender. Las anotaciones escritas de las entrevistas permiten al docente tener constancia y hacer un seguimiento individualizado de las necesidades de cada alumno para actuar con respecto a ellas llegado el momento.

También es posible grabar la entrevista en audio o en video, especialmente si se pretende analizar algún aspecto del desarrollo. En la mayor parte de los casos, sin embargo, las anotaciones escritas bastarán para cumplir con los propósitos deseados.

Asimismo, la entrevista puede servir como una evaluación cualitativa, anterior y posterior a los exámenes, de la comprensión del alumnado acerca del material. Se trata de una evaluación real y auténtica pues se basa en el conocimiento desplegado por el alumno en una actividad educativa genuina.

En el siguiente ejemplo, la profesora de Samuel tiene curiosidad por las dificultades del niño al escribir algunas palabras sin faltas de ortografía en su diario. Muchas veces, confunde la 'c' con la 't'. Por ejemplo, escribe «cren» en lugar de «tren» y «escalo una moncaña» en lugar de «escalo una montaña». Por ello, la maestra prepara una entrevista para indagar sobre las dificultades ortográficas de Samuel, así como sobre sus habilidades para escribir y leer.

A continuación se ofrecen las notas de la entrevista entre Samuel (7 años) y su maestra:

MAESTRA: Samuel, estoy interesada en lo que has aprendido de escritura y ortografía. ¿Puedes leerme algo de tu diario?

SAMUEL [lee un texto sobre las vacaciones]: Fuimos de vacaciones a la montaña y a Oxford. Tomamos té inglés con leche y me subía a los árboles. [Lee un poco más, sin aparentar tener problemas con la mayor parte de la ortografía, aunque en algunas ocasiones duda acerca de alguna palabra y prefiere saltarse la frase.]

MAESTRA: Me ha gustado mucho la historia de tu viaje. Me he dado cuenta de que ponías «3» en lugar de «nosotros» y que tenías dudas al leer la palabra. ¿Recuerdas por qué escribiste «3»?

SAMUEL: No. Estaba escribiendo rápido.

MAESTRA: ¿Escribiste «moncaña» en vez de «montaña» y eso te confundió?

SAMUEL: No sé por qué me ocurre. A veces confundo la 't' con la 'c'.

MAESTRA: Bueno, tu ortografía es buena. Al menos en las pruebas que hemos hecho.

SAMUEL: Me encantan los dictados. Son mi actividad favorita.

MAESTRA: ¿Por qué?

SAMUEL [con una sonrisa pícara]: Porque puedo cambiar las letras.

MAESTRA: Eres ingenioso. Eso está bien.

SAMUEL: ¿Qué?

MAESTRA: Ingenioso. Significa que haces chistes buenos. ¿Te gusta hacer chistes?

SAMUEL: A veces, hago reír a todos mis compañeros.

MAESTRA: Has leído algo que te gustara últimamente.

SAMUEL [saca un libro de su mochila]: ¿Puedo? [Lee la historia completa, con confianza. Duda en un par de palabras, pero las identifica a través de las ilustraciones y se corrige a sí mismo cuando comete algún error.]

MAESTRA: Muy buena lectura. ¿Qué más has leído? ¿Lees con tu madre en casa alguna vez?

SAMUEL: Hemos leído parte de *La Isla del Tesoro*, pero era demasiado largo. También hemos leído *El chico de Tennesee*.

MAESTRA: ¿De qué trata?

SAMUEL [también con una sonrisa pícara]: De un chico de Tennesee.

Anotaciones sistemáticas

Estas anotaciones son notas cortas y fechadas que el educador o educadora realiza acerca de un alumno o alumna en concreto. Pueden emplearse para evaluar la eficacia de las últimas tareas, producciones o de las actividades del centro educativo. Esta técnica es además un método discreto para documentar la actividad de los niños y niñas en un proyecto extenso, que permite registrar el dominio individual de los objetivos académicos.

Kara menciona durante una conversación sobre los diarios de aprendizaje que ha estado mirando las tortuguitas de clase. Ha observado que a veces tienen la cabeza medio sumergida en el agua, mientras que otras veces se arrastran por las rocas y estiran sus cuellos contra el cristal.

Su maestra se da cuenta de la posibilidad de introducir uno de los objetivos de la clase de ciencias: la observación científica práctica, y convertirlo en una actividad de clase, así que especula con que las tortugas se pegan al cristal para sentir la luz del sol. Luego, sugiere a Kara que observe a las tortugas a la misma hora cada día y que anote su comportamiento, así como las condiciones atmosféricas, si hace sol o el cielo está nublado.

Para documentar la eficacia de esta actividad, la maestra recuerda a la niña su tarea al día siguiente y observa y toma nota de sus acciones. Para relacionar la actividad de la alumna con los objetivos académicos globales, anota también los objetivos de la clase de ciencias. De esta manera, la docente documenta que Kara ha cumplido sus objetivos de aprendizaje.

Las *descripciones del diario* son una variante de los registros o anotaciones sistemáticas. En este método, el educador o educadora registra de forma regular sus observaciones acerca de un niño concreto con el objetivo de documentar los cambios en su comportamiento o en sus intereses.

Las *notas continuadas* son otra variante de los registros o anotaciones sistemáticas. En esta técnica, el educador o educadora registra todas las acciones de un alumno durante un tiempo determinado, por ejemplo diez minutos. Las notas continuadas exigen más tiempo, así como más concentración que otro tipo de anotaciones escritas. Por ello, resulta más complicado mantener un registro de este tipo. No obstante, pueden ser útiles cuando se pretenda acumular más información sobre el comportamiento o las necesidades de una niña o niño determinado. En este caso, si se considera apropiado evaluar el comportamiento global de un niño en una situación determinada, el maestro puede pedir a un compañero que realice este tipo de anotaciones durante la actividad normal de la clase. Si no quiere que la observación de su colega se fundamente sobre prejuicios, el maestro no le comentará sus sensaciones sobre el alumno. Así, por ejemplo, puede usar como pretexto que quiere investigar sobre las actividades de los niños y niñas en el centro educativo, en lugar de apuntar que el alumno X puede tener un problema de motricidad.

En el proceso de creación de portafolios en diez fases, las observaciones sistemáticas se inician como mero seguimiento de las conversaciones sobre los diarios de aprendizaje.

Ejemplo de anotaciones sistemáticas

Una maestra de educación primaria decide evaluar la comprensión de Ana sobre una lectura en voz alta, porque sus padres, que no hablan bien el idioma, están preocupados por los conocimientos lingüísticos de su hija. Para ello, la docente observa a Ana durante las lecturas efectuadas en grupo y hace anotaciones sobre los comentarios de la niña. La observación sistemática le proporcionará la información necesaria para responder a las preocupaciones de los padres y para intervenir si fuera necesario. Las anotaciones sistemáticas documentarán de forma sencilla sus observaciones.

Notas de la maestra

3 de noviembre

10 de la mañana: lectura en gran grupo. Rosa (maestra que colabora en la sesión) lee en voz

alta un libro. Ana parece prestar mucha atención. Dice: «Brian siempre me quita los lápices de colores» y «Natalie siempre me invita a su cumpleaños». Ana dibuja a sus amigos y amigas de la clase.

Comentarios de la maestra

Ana hacía comentarios durante la lectura del cuento y su dibujo demuestra que entendió perfectamente el contenido del libro.

Los momentos en los que un ayudante, un estudiante o un voluntario están desarrollando alguna actividad con los alumnos son una buena oportunidad para observar de forma discreta. La práctica frecuente de la observación sistemática es una buena preparación para la redacción posterior de anotaciones anecdóticas y resúmenes de las conversaciones sobre los portafolios y los informes.

Anotaciones anecdóticas

Se trata de notas derivadas de la observación de los alumnos y alumnas: son las notas del maestro sobre las acciones espontáneas de los niños y niñas, o quizá de un grupo pequeño de ellos.

Mientras que las anotaciones sistemáticas suelen reflejar los progresos de los alumnos y alumnas en relación con unos objetivos determinados, las anotaciones anecdóticas son la expresión genuina del crecimiento y desarrollo de los niños. Son, por tanto, la manera de percibir las cualidades específicas de cada alumno y, al menos potencialmente, los elementos más importantes de los portafolios infantiles, porque reflejan las observaciones del educador sobre los acontecimientos que tienen lugar en el centro educativo o en el aula, esto es, precisamente las observaciones del experto en el entorno. Se diferencian de las anotaciones sistemáticas en que no son el resultado de una programación previa, sino de la reacción del docente frente a acontecimientos inesperados.

Cuando comienza a tomar notas sobre hechos anecdóticos, el maestro se convierte en un verdadero reportero dentro del aula, que está alerta de forma permanente para recoger los hechos significativos y elaborar notas precisas sobre ellos. Depositadas en los portafolios, esas anotaciones deben ser revisadas regularmente y son pistas que informan sobre las necesidades e intereses de los alumnos y pruebas posteriores de sus progresos en los diferentes campos de desarrollo.

Las anotaciones anecdóticas serán tan fiables como lo sean las observaciones del docente. Por ello, debe tratar de ser siempre objetivo y no sesgar la información acerca de un incidente. Sin embargo, y pese a este riesgo, el proceso de hacer anotaciones anecdóticas contribuye al desarrollo profesional continuo e individual, porque, cuando toma notas sobre las acciones espontáneas e imprevisibles de los niños, el maestro aprende sobre el desarrollo infantil, así como acerca de cada alumno. Esto es particularmente cierto cuando se observa el juego de los niños, momento en el que despliegan de forma más patente sus capacidades lingüísticas, cognitivas, socioafectivas y físicas. Con un poco de práctica, el docente será capaz de hacer anotaciones anecdóticas sobre un determinado niño con soltura, mientras observa a otro niño o niña para hacer anotaciones de carácter sistemático.

En los programas educativos infantiles, las fotografías pueden servir de preparación para la formación de un archivo de anotaciones anecdóticas. Valorar las escenas y sopesar si deben incorporarse al archivo es en sí misma una práctica preparatoria para identificar los hechos que merecen ser reflejados en las anotaciones.

En el siguiente ejemplo, una maestra hizo una fotografía, con una cámara Polaroid, a un niño de cuatro años que jugaba con las piezas de madera de un juego de construcción y tomó una serie de notas sobre el resultado final.

Ejemplo de anotaciones anecdóticas

22 de octubre

Andrés construyó una estructura grande, un museo para «animales disecados, de los de verdad, sin sangre». Después, incorporó también dinosaurios y animales salvajes y unos coches que circulaban alrededor del museo.

Fotografía y nota anecdótica por cortesía del Educational Research Center de la Florida State University.

Posteriormente, la maestra trasladó la información a un informe semanal que envió a sus padres. Habría sido útil explicar en un informe más extenso que el proyecto de Andrés reflejaba que había alcanzado el nivel siete del juego de construcción:

Los niños y niñas a menudo reproducen o simbolizan estructuras reales que conocen y presentan una tendencia marcada a jugar alrededor de las estructuras de construcción. (Hirsch, 1984)

Resúmenes de las conversaciones sobre los portafolios

Estos informes escritos recogen las ideas y opiniones que se tratan durante las conversaciones sobre los portafolios, cuando éstas no sean muy frecuentes. Para elaborar estos resúmenes sencillos, el maestro tomará notas breves durante las conversaciones que después revisará.

Mientras que las entrevistas se centran en un único tema y lo tratan de forma amplia, como por ejemplo los avances del niño en su antología de adivinanzas o en la investigación del ciclo vital de una oruga, las conversaciones sobre los portafolios son encuentros privados relativos a las experiencias de aprendizaje de los niños durante un período de dos o tres meses. Puede que al principio baste con dos reuniones anuales sobre los portafolios, para incrementar después el número hasta tres o cuatro anuales.

Durante las entrevistas, se mostrarán los contenidos del portafolio para que el alumno (y eventualmente el padre y la madre) los comenten. Puede que durante estas reuniones se decida volver a trabajar en proyectos que no se habían acabado o retomarlos de forma distinta. También puede que el educador decida incluir una muestra de trabajo al portafolio acumulativo, que trasladará al futuro docente, porque demuestra una progresión importante, o incluso puede que esa decisión la tome el propio alumno. (En este caso, es necesario respetar la decisión del niño o niña de conservar algunos trabajos que considera relevantes, pese a que el docente no tenga clara su relevancia.)

Las conversaciones sobre los portafolios son una extensión de las conversaciones sobre los diarios de aprendizaje. En el modelo que se presenta en este libro, los diálogos individuales con los alumnos y alumnas se amplían y se hacen más profundos de forma gradual, a medida que el proceso de creación de portafolios afecta a un mayor número de rutinas educativas. En algunos casos, es posible implicar a los padres y madres o a los tutores en las entrevistas sobre los portafolios, de manera que se conviertan en conversaciones a tres bandas sobre el conjunto del trabajo reciente del niño.

Los resúmenes escritos de las conversaciones sobre los portafolios son simplemente la versión del docente de los temas, ideas y planes que ha comentado con el alumno o alumna. Durante o después de las conversaciones, se tomarán notas en hojas separadas o en el diario individual del alumno para que sirvan de referencia posterior.

Ejemplo de un resumen de una conversación sobre los portafolios

27 de marzo

Lorenzo y yo comentamos sus lecturas y los dibujos que había hecho en clase. Le habían gustado el libro *101 chistes sobre el verano* y los tebeos que había leído en la biblioteca. También le habían gustado los poemas de Gloria Fuertes y las tiras cómicas que había encontrado en algunas revistas. La conclusión de la conversación es que sus lecturas favoritas son los textos divertidos.

También le gusta mucho dibujar. Ha dibujado extraterrestres con los ojos saltones. Cuando dibuja extraterrestres sólo usa el lápiz, porque, según él, le parece más importante perfilar bien las figuras que colorearlas con rotuladores o con lápices de colores.

Le he comentado que no escribe mucho en su diario. Le he pedido que apunte o escriba al menos una vez al día lo que le ha gustado o lo que le ha disgustado de una actividad. También le he animado a que escriba los títulos de las historias, los poemas o los libros que lea.

Profesora Fletcher

Informes

En este caso, se trata de informes periódicos escritos sobre el progreso de un niño en concreto y sobre las decisiones del maestro para adaptarse a sus necesidades y capacidades. En los primeros cursos de educación primaria, los informes pueden complementar los boletines de notas o incluso sustituirlos, lo que dependerá en todo caso del ideario del centro educativo.

En el modelo que aquí se presenta, la realización gradual de informes escritos más sencillos servirá de preparación para escribir informe extensos más útiles e informativos. Y ello, porque la confianza del maestro en su capacidad para escribir aumentará a medida que escriba sobre los progresos del alumnado. Asimismo, esos textos y notas serán un buen punto de partida y un archivo amplio para los informes posteriores.

Ejemplo de informe

En estos ejemplos, un educador infantil envía un informe semanal breve a los padres de sus alumnos. Los informes reflejan la práctica del docente para hacer anotaciones anecdóticas. Asimismo, son una forma de comunicación excelente con los padres y madres, y deben servir de base para los informes periódicos más extensos sobre todos los aspectos del desarrollo infantil.

8 de diciembre
Elisa está bien. Le ha costado un poco quedarse dormida, porque le encanta dormir agarrando algo suave. Ha cantado un villancico cuando empezamos a decorar el árbol.

23 de febrero
Últimamente, Elisa habla mucho de Pocahontas. Puede describirla con todo detalle. También ha intentado atarse los zapatos ella sola. Por ahora, sólo es capaz de juntar los cordones.

29 de marzo
Elisa ha disfrutado mucho jugando con otros compañeros y compañeras. Ha jugado con el tren de Andrés y con los animales de Pedro. Cuando juega, le encanta fantasear con lo que están haciendo.

Informes por cortesía del Centro de investigación educativa de la Florida State University.

Grabaciones en audio y video

Las cintas de casete y video son fuentes de abundante información sobre el aprendizaje de los niños y niñas. Es más, son muy recomendables porque son especialmente valiosas a la hora de facilitar la implicación de la familia, pues permiten a los padres y madres ver y oír hechos a los que de otro modo nunca tendrían acceso. Una cinta en la que un alumno o alumna cuente un cuento, lea en voz alta una historia propia, practique un idioma extranjero o cante una canción pueden ser muestras emocionantes del desarrollo verbal para los niños, para el docente y los padres. Los vídeos también pueden ser muy útiles si se está interesado en analizar las actividades de un grupo.

Pautas y registros de observación

Las pautas y registros de observación sobre distintas habilidades son un elemento recurrente en los portafolios infantiles. Son instrumentos útiles para la evaluación rápida y para formar un registro individualizado de las habilidades de cada alumno o alumna, con referencias específicas a los distintos campos del desarrollo. Dado que las pautas y registros de observación exigen que el maestro observe a los alumnos de forma individual y que les preste atención a lo largo del tiempo, pueden ser buenos «temas para la reflexión» para los docentes que pretenden conseguir que su clase se convierta en un entorno más adecuado para el desarrollo infantil.

Las mejores pautas y registros de observación son aquellas que crea el propio maestro de acuerdo con los principios del desarrollo infantil y con los objetivos del programa educativo.

Las pautas y registros de observación que se ofrecen a continuación para niños y niñas de tres, cuatro y cinco años han sido extraídas del libro *Developmentally Appropriate Practice in Early Childhood Programs* (Bredekamp y Copple, 1997) (Práctica adecuada al desarrollo en los programas educativos infantiles), guía publicada por la National Association for the Education of Young Children (Asociación Nacional para la educación infantil). Pueden utilizarse para determinar si el currículo que se emplea es adecuado para los alumnos de educación infantil.

En este apartado también se proporciona información sobre el desarrollo evolutivo entre los seis y los ocho años y la manera de relacionar el currículo de primaria, y su examen y evaluación, con el desarrollo infantil. Estas pautas y registros de observación han sido extraídas del *Developmental Instruction Strategies*: Kindergarten Through Third Grade (Estrategias para la educación en el desarrollo: desde la educación infantil al tercer curso de primaria), publicado en 1992 por el Mississippi Department of Education (Departamento de Educación de Mississippi).

Ambas guías constituyen, al menos desde nuestra perspectiva, la base fundamental para el desarrollo y aplicación de la evaluación basada en portafolios en los centros de educación infantil y primaria[1].

La elaboración de pautas y registros de control del desarrollo cognitivo, socioafectivo y físico, que incluyan además conceptos y habilidades claves del programa curricular, será un buen ejercicio para el docente y sus compañeros. No obstante, los registros de control y las hojas de seguimiento pueden acabar monopolizando el currículo, lo que puede hacer que el objetivo más importante de la enseñanza sea dominar una serie de conceptos y capacidades inconexas. Por esta razón, no se hace hincapié en los registros de control como recurso para elaborar el portafolio. Si es necesario emplear estos instrumentos para registrar el pro-

1. Nota del editor. Nótese que las autoras proponen (pp.90-103) unas pautas y registros de observación elaboradas por la National Association for the Education of Young Children, de Washington y por el Mississippi Departament of Education. Se transcriben, pues, pautas de observación elaboradas en y para un contexto concreto: el modelo educativo americano.

greso del alumnado, es recomendable que el profesorado acompañe estos registros con informes más personalizados. Así, los registros pueden servir de base para los informes del educador, para asegurarse de que no obvia cuestiones importantes relativas al desarrollo o al currículo, al resumir los avances de los alumnos en sus comunicaciones con los padres y compañeros.

Características generales de los niños y niñas de tres a cinco años

Desarrollo motriz básico

Tres años

- Anda sin mirarse los pies; anda hacia atrás; corre con un ritmo homogéneo, gira y se para sin problemas.
- Sube las escaleras alternando los pies y usa las manos para mantener el equilibrio.
- Salta desde los escalones y desde objetos de poca altura; no calcula bien la altura para saltar sobre los objetos.
- Su coordinación ha aumentado; comienza a mover las piernas y los brazos para columpiarse o montar en triciclo, aunque a veces pierde el control de la dirección y choca contra objetos.
- Percibe la altura y la velocidad de los objetos (como una pelota que alguien ha lanzado), pero se perturba o se asusta, porque no controla sus habilidades.
- Es capaz de sostenerse a la pata coja; le cuesta mantener el equilibrio en una barra estrecha (10 centímetros) y se mira los pies.
- Juega de forma activa (y trata de alcanzar a los niños y niñas mayores). Luego necesita descansar. Se cansa de repente. Si se cansa demasiado, suele enfadarse.

Cuatro años

- Anda de forma correcta y esquiva los objetos con cierta dificultad; corre bien.
- Es capaz de sostenerse a la pata coja durante cinco segundos o más; es capaz de mantener el equilibrio en una barra de doce centímetros de ancho, pero tiene dificultades si la barra es de cuatro centímetros y debe mirarse los pies.
- Baja los escalones alternando los pies; controla bien dónde debe poner los pies al subir o bajar.

- Ha desarrollado bien la coordinación para saltar a la cuerda o para los juegos que exigen reflejos rápidos.
- Comienza a mostrar la coordinación necesaria para las carreras de obstáculos o para saltar en un trampolín pequeño.
- Su capacidad para calcular y el conocimiento de sus limitaciones ha aumentado, así como el conocimiento de las consecuencias de un comportamiento arriesgado; no obstante, necesita ayuda para cruzar la calle o para mantenerse lejos del peligro en determinadas actividades.
- Su resistencia es cada vez mayor. Los períodos de esfuerzo físico son más largos (por ello necesita ingerir más líquidos y calorías); a veces, se excita demasiado y no calibra bien su esfuerzo en las actividades en grupo.

Cinco años

- Anda hacia atrás con rapidez, esquiva objetos y gira con facilidad y velocidad; puede utilizar sus habilidades motrices en juegos.
- Puede mantener el equilibrio en una barra de cuatro centímetros de ancho y saltar sobre objetos.
- Salta bien; mantiene un ritmo constante al andar.
- Sube bien las escaleras; coordina sus movimientos para nadar o montar en bicicleta.
- Muestra una capacidad irregular para calcular la distancia; a veces se confía en exceso, pero suele aceptar los límites y cumple las reglas.
- Derrocha una gran cantidad de energía; casi nunca parece cansado; le cuesta estar inactivo y busca participar en juegos motrices e integrarse en entornos activos.

Desarrollo de la motricidad fina

Tres años

- Coloca fichas en un tablero; es capaz de insertar cuentas en una cuerda larga; es capaz de verter líquidos, aunque derrama alguna cantidad del mismo.
- Construye con piezas; hace puzles con facilidad.
- Se cansa cuando la coordinación manual exigida es alta.
- Dibuja formas, como círculos; comienza a diseñar objetos, como una casa o una figura; sus dibujos muestran relación entre sí.
- Sostiene los lápices o los rotuladores con los dedos en lugar de con el puño.
- Se desviste sin ayuda, pero necesita ayuda para vestirse; se desabrocha los botones con facilidad, pero le cuesta volver a abrochárselos.

Cuatro años

- Usa las fichas y el tablero pequeño; hace cuentas con cuerdas pequeñas (a veces sigue un patrón); vierte líquido y arena en recipientes pequeños.
- Construye estructuras complejas en vertical con las piezas del juego de construcción; su capacidad espacial es limitada y suele tirar las piezas.
- Disfruta manipulando juguetes que tienen piezas pequeñas; le gusta usar las tijeras; practica una actividad hasta que la domina.
- Dibuja combinaciones de formas simples; dibuja figuras humanas con al menos cuatro elementos y objetos reconocibles.
- Se viste y se desviste sin ayuda de los adultos; se cepilla los dientes y se peina. No suele derramar el contenido de las tazas o de la cuchara. Hace lazos con los cordones de los zapatos y la ropa, pero no es capaz de anudarlos.

Cinco años

- Es capaz de golpear un clavo con un martillo; usa las tijeras y los destornilladores sin ayuda.
- Usa el teclado del ordenador.
- Le gusta desmontar y montar objetos y vestir y desvestir muñecas.
- Tiene cierto sentido de la derecha e izquierda, aunque a veces las confunde.
- Copia formas; combina más de dos formas geométricas al dibujar y construir.
- Dibuja la figura humana; escribe letras de forma rudimentaria, que un adulto no podría reconocer; suele inscribir sus dibujos en un contexto; escribe su nombre.
- Es capaz de bajar la cremallera del abrigo y de abotonarse; se ata los zapatos con ayuda de un adulto; se viste con rapidez.

Desarrollo verbal y comunicativo

Tres años

- Demuestra un aumento gradual de su vocabulario, entre dos mil y cuatro mil palabras; tiende a emplear vocablos muy generales y a inventarse palabras para poder expresarse.
- Expresa sus necesidades con frases de al menos tres o cuatro palabras.
- A veces, tiene dificultades para intervenir en conversaciones; cambia de tema con facilidad.
- Pronuncia con dificultad; suele confundir las palabras.
- Le gustan los trabalenguas y las rimas; memoriza la letra de las canciones que se repiten mucho.

- Adapta el discurso y la comunicación no verbal a los oyentes de forma aceptable desde el punto de vista cultural, pero todavía necesita que a veces se le recuerde el contexto comunicativo.
- Suele preguntar mucho *quién, cuándo, dónde* y *por qué*, pero tiene dificultades a la hora de responder a determinadas preguntas (sobre todo, a las construidas con *por qué, cómo* y *cuándo*).
- Emplea el lenguaje para organizar sus pensamientos y es capaz de conectar dos ideas a través de dos frases; emplea demasiado *pero, porque* y *cuando*; son pocas las veces en las que usa de forma correcta algunos nexos como *antes, hasta* o *después*.
- Puede contar una historia simple, pero debe reestructurar la secuencia para poner las ideas en el orden correcto; a menudo se olvida de la esencia de la historia y suele insistir en las partes que más le gustan.

Cuatro años

- Ha aumentado su vocabulario hasta llegar a las cuatro mil o seis mil palabras; presta mayor atención a los significados abstractos.
- Le gusta cantar canciones sencillas; conoce muchos trabalenguas y rimas.
- Es capaz de hablar en público con ciertas dificultades; le gusta hablar con los demás compañeros o compañeras de sus experiencias y de su familia.
- Usa el lenguaje para pedir las cosas; empieza a bromear con los demás.
- Expresa emociones con gestos y está atento al lenguaje corporal de los demás; copia el comportamiento (los gestos) de los niños y niñas mayores o de los adultos.
- Puede controlar el tono de voz durante un tiempo si se le llama la atención sobre ello; comienza a tener en cuenta el contexto social.
- Usa estructuras de frases más avanzadas, como frases de relativo o preguntas de refuerzo de sus afirmaciones («Es bonito, ¿no?», por ejemplo), y experimenta con construcciones nuevas, lo que hace que a veces sea difícil entenderlo.
- Intenta comunicar más allá de lo que su vocabulario le permite; suele copiar palabras y se inventa otras para crear significados.
- Aprende nuevas palabras con facilidad, sobre todo si tienen relación con experiencias personales: «Paseo a mi perro con un cinturón. No, es una correa. Paseamos al perro con una correa».
- Puede contar una historia o recordar una que se haya contando con cuatro a cinco frases.

Cinco años

- Emplea un vocabulario de cinco mil a ocho mil palabras, con juegos de palabras frecuentes; pronuncia algunas palabras sin dificultad, salvo algunos sonidos concretos como la [r] y la [z].
- Construye frases completas y complejas: «Ha pasado su turno, ahora me toca a mí».
- Interviene cuando es su turno en las conversaciones; interrumpe menos a los compañeros; presta atención a la persona que habla si la información es novedosa o le interesa; muestra vestigios de egocentrismo en el discurso, por ejemplo, presume que el oyente le entenderá (emplea pronombres sin referentes previos en frases como «Me dijo que lo hiciera»).
- Suele hablar de sus experiencias. Se sabe la letra de muchas canciones.
- Le gusta imitar a los compañeros y compañeras; pasa de ser extrovertido a tímido de forma imprevisible.
- Recuerda versos de poemas sencillos y repite frases completas y expresiones que oye a otras personas, incluso en programas de televisión o anuncios.
- Muestra habilidades para emplear las fórmulas convencionales de comunicación, entre ellas el tono y la inflexión a la hora de hablar.
- Usa la comunicación no verbal, como algunos gestos a la hora de bromear con los compañeros y compañeras.
- Puede contar historias propias o que ha escuchado con facilidad, si practica; disfruta repitiendo las historias, los poemas y las canciones; le gusta actuar en obras teatrales y representar los personajes de los cuentos.
- Muestra una capacidad mayor para expresar las ideas con fluidez.

Desarrollo social y emocional

Tres años

- Depende en gran medida de la experiencia previa con los compañeros y compañeras, puede que observe el juego desde fuera o que juegue de forma paralela hasta que se integre en mayor grado con el resto de los niños, o puede que imite los patrones asociativos del juego (jugando junto a compañeros, hablando o usando los juguetes, pero manteniendo sus propias intenciones y comportamientos).
- Muestra dificultad para respetar los turnos y para compartir los objetos, cambia a menudo la manera de actuar durante el juego; muestra cierta habilidad para resolver problemas con los compañeros y compañeras; suele necesitar ayudar para afrontar una situación conflictiva.

- Juega bien con los demás y responde de forma positiva si hay condiciones favorables en lo relativo al material, espacio y control (tiene dificultades a la hora de adoptar comportamientos sociales ante la ausencia de alguno de esos elementos).
- Coopera más que los niños o niñas de su edad y quiere complacer a los adultos (puede que adopte un comportamiento más pueril, como chuparse el dedo, empujar, golpear y llorar si está frustrado con el resultado de la interacción social).
- Puede obedecer instrucciones simples; le gusta que lo traten a veces como un niño de mayor edad, pero puede que todavía se meta objetos peligrosos en la boca o que se disperse si no se está pendiente de él.
- Expresa sentimientos fuertes, como el miedo o el cariño; tiene un sentido del humor absurdo y simpático.

Cuatro años

- Todavía participa en juegos asociativos, pero comienza a tomar parte en juegos cooperativos.
- Muestra dificultades para compartir –en algunos casos más que en otros–, pero comienza a entender el sentido de los turnos y es capaz de desarrollar juegos sencillos en grupos pequeños.
- Se enfada con facilidad si las cosas no ocurren como le gustaría; prefiere jugar con los demás más a menudo; trata de solucionar las interacciones negativas, pese a que carece de la habilidad verbal para resolver todos los conflictos.
- Comienza a ofrecer cosas a los demás de forma espontánea; busca complacer a sus amigos y amigas; halaga la ropa o los zapatos nuevos de los demás; se muestra contento por tener amigos y amigas y estar con ellos.
- Presenta arranques ocasionales de ira, pero aprende que los actos negativos comportan sanciones; aprende rápido a excusar una actitud agresiva: «Me pegó primero».
- Comprende que se espera que controle su comportamiento, pero tiene dificultades para concentrarse en una tarea, se despista con facilidad y olvida qué le han preguntado a menudo. Le gusta vestirse solo, es capaz de hacer encargos sencillos. Se lava o se limpia sin supervisión constante, pero es incapaz de esperar mucho, pese a que se le haya prometido algo por la espera.
- Muestra mayor capacidad para controlar los sentimientos fuertes, como el miedo o la ira (no suele tener berrinches o rabietas); a veces, necesita la ayuda de los adultos para expresar o controlar sus sentimientos.

Cinco años

- Le gusta fantasear mientras juega con los demás.
- Coopera bien, forma grupos pequeños, que pueden incluso excluir a otros compañeros y compañeras.
- Entiende el poder de rechazar a los demás; amenaza con acabar la amistad y con hacer otros amigos y amigas: «No vendrás a mi fiesta de cumpleaños»; tiende a mandar a los demás. Suele haber muchos líderes y muy pocos seguidores en la mayor parte de los grupos.
- Disfruta cuando está con los demás y puede comportarse de forma cálida y empática; cuenta chistes y bromea para llamar la atención.
- Muestra menos agresividad física; prefiere insultar o amenazar a pegar.
- Puede adecuarse a las instrucciones; miente antes que admitir que ha incumplido las reglas o las normas; puede animarse o desanimarse con cierta facilidad.
- Es autónomo para vestirse y comer; puede comportarse de forma infantil cuando las normas del grupo no son justas.

Características del comportamiento de los niños y niñas de seis años

Físicas

- Buena capacidad visual.
- Conciencia mayor de la utilización de la mano como herramienta.
- Descuidado, apresurado, la velocidad es una prueba aún a los seis años.
- Ruidoso en clase.
- Le cuesta mantenerse quieto.
- Aprende a distinguir la derecha de la izquierda.
- Actividad oral. Se muerde las uñas, muerde los lápices y chupa el palo (dentición).
- Se cansa con facilidad.
- Enfermedades frecuentes.
- Disfruta con el juego al aire libre y la gimnasia.

Lenguaje

- Le gusta «trabajar».
- Le gusta contar cosas; es rápido a la hora de explicar las cosas.

- Le gustan los chistes y las adivinanzas.
- Lenguaje escandaloso y entusiasta.
- Preocupado y quejica.
- Se anticipa al final de las frases de los demás.

Adaptación

- Le gusta hacer preguntas.
- Le gustan los juegos y las ideas nuevas.
- Le gustan el color y las pinturas.
- Aprende mejor descubriendo.
- Disfruta más el proceso que el resultado.
- Intenta más cosas de las que es capaz de conseguir (come más por los ojos que por la boca).
- Elabora juegos dramáticos.
- Coopera en el juego.
- Los símbolos representativos son importantes.
- Entiende mejor las relaciones espaciales y funcionales.
- Comprende mejor el pasado con relación al presente.
- Muestra interés en las capacidades y las habilidades propias.

Relaciones personales y sociales

- Quiere ser el primero o la primera.
- Competitivo y entusiasta.
- Ansioso por hacerlo bien.
- Busca el halago.
- El fracaso le resulta duro.
- Muestra una capacidad tremenda para disfrutar.
- Le gustan las sorpresas y los caprichos.
- Tiende a ser poco deportivo.
- Inventa reglas.
- Puede ser mandón y bromista.
- Crítico con los demás.
- Se enfada fácilmente cuando se le hace daño.
- A veces es deshonesto.
- Los amigos y amigas son importantes (puede que tenga ya su mejor amigo o amiga).
- Las transiciones son difíciles.
- El centro educativo sustituye al hogar como entorno más influyente.

Implicaciones educativas

A los seis años se inicia una fase de «regulación» de su gran dinamismo y entusiasmo. De ello, se derivan muchos aspectos que hay que tener en cuenta en el centro educativo o el aula.

Visión y capacidad motriz

- Los alumnos y alumnas pueden empezar a copiar de la pizarra. Pero todavía les resulta una tarea complicada.
- Son capaces de mantener la distancia y permanecer en fila.
- Su capacidad para seguir un texto permite comenzar la enseñanza de la lectura.

Habilidades motrices ordinarias

- El docente debe permitir y soportar cierto grado de bullicio que comporta la actividad en el aula.
- Lo normal es que la cantidad de trabajo sea elevada, pero de baja calidad en su ejecución. Los niños y niñas suelen preocuparse más por la cantidad de trabajo que consiguen hacer, que por la forma en que lo han hecho.
- El docente puede fomentar un ritmo más lento para potenciar la calidad del trabajo.
- Debe prestar atención y observar si los niños y niñas disfrutan con las actividades, en particular con las de carácter personal, ya se trate de tareas, de ordenar la clase o de divertirse. Es el momento de experimentar y hacer que asuman responsabilidades individuales y dentro del grupo.

Desarrollo cognitivo

- En estas edades, los juegos, de todo tipo, tienen buena acogida y son eficaces. Los juegos de expresión oral, los poemas, las adivinanzas y canciones motivan y divierten a los niños y niñas. Enseñar con juegos crea patrones de aprendizaje que se asientan en el alumnado de forma más profunda que los derivados del aprendizaje a través de un libro de texto.
- Ésta es una edad de explosión artística. Moldear, pintar y colorear, hacer libros, tejer, bailar y cantar son actividades que les entusiasman. Los niños y niñas deben sentir que sus intentos se valoran, que no hay una forma acertada o incorrecta de aproximarse al arte. La capacidad de tomar riesgos a esta edad potenciará la competencia y la expresión artística posterior.
- Asimismo, los niños y niñas pueden comenzar a entender los acontecimientos pasados (la historia) si tienen un reflejo en el presente. Los maes-

tros deben planificar el descubrimiento del entorno social y natural, con especial atención al aquí y al ahora. Las excursiones son muy eficaces cuando van seguidas de actividades de representación posterior (dibujos secuenciados de la excursión, producciones en arcilla, textos...).

Comportamiento personal y social

- Los comportamientos extremos deben comprenderse pero no por ello tolerarse. Las rabietas, las mofas, el agobio a los compañeros y compañeras, las quejas o la cháchara son formas de entender las relaciones a esta edad.
- Asimismo, los profesores y profesoras deben ser conscientes de la influencia de sus palabras sobre el alumnado. Un halago, por pequeño que sea, puede hacer que un niño o niña supere una situación complicada. En cambio, una crítica severa puede ser muy perjudicial.
- También deben eliminarse los componentes de competitividad en los juegos. A los seis años, los niños y niñas son muy competitivos y la necesidad de ganar y de ser el primero puede sobrepasarles.

Características del comportamiento de los niños y niñas de siete años

Físicas

- Pueden detectarse miopías.
- Dibuja y escribe con la cabeza «pegada» al papel.
- Coge el lápiz en forma de tenaza.
- El trabajo escrito es ordenado y limpio.
- En ocasiones puede mostrarse tenso en su ritmo de trabajo.
- Le gustan los espacios solitarios.

Lenguaje

- Buen oyente.
- Habla de forma precisa.
- Le gustan las conversaciones personales.
- El desarrollo del vocabulario es rápido.
- Le gusta escribir notas.
- Interés por toda clase de códigos.

Desarrollo personal y social

- Introvertido e introspectivo.
- Voluble, deprimido, temperamental y tímido.
- Emotivo.
- Sentimientos variables.
- Necesita seguridad y estructura.
- Pide ayuda al docente.
- No le gusta cometer errores o arriesgar si puede equivocarse.
- Sensible a los sentimientos de los demás, pese a que a veces se chiva.
- Concienzudo y serio.
- Mantiene su pupitre y su habitación ordenados.
- Necesita apoyo constante.
- No se relaciona bien con más de un profesor o profesora.
- Gustos y aversiones fuertes.

Adaptación

- Le gusta explorar y verificar los conocimientos.
- Necesita y debe acabar las tareas.
- Le gusta trabajar con lentitud.
- Le gusta trabajar de forma individual.
- Puede clasificar de forma espontánea.
- Aumenta la capacidad para reflexionar.
- Borra de forma constante y es perfeccionista.
- Le gusta repetir las tareas.
- Disfruta con las manualidades.
- Quiere saber cómo funcionan las cosas y desmontarlas.

Implicaciones educativas

A los siete años, los niños y niñas son «introvertidos», y malhumorados. Los docentes deben prestar especial atención a la sensibilidad que presentan a esta edad.

Visión y capacidad motriz

- La escritura, los dibujos y números de los alumnos y alumnas suelen ser pequeños, a veces microscópicos. Tienden a trabajar con la cabeza «pegada» al papel y a menudo se tapan o cierran un ojo.
- También suele ser habitual que escriban en los márgenes, pues les cuesta llenar el espacio, y que agarren el lápiz con los dedos en forma de tenaza y con mucha fuerza.

Capacidad motriz ordinaria

- Los docentes pueden esperar un ambiente de clase tranquilo y estable, y períodos de trabajo en silencio sin comportamientos desaforados.
- Los niños y niñas prefieren los juegos de mesa a los juegos deportivos. Los juegos en el patio, como la comba, las cuatro esquinas, son más populares que las actividades en equipo o en grupo.

Desarrollo cognitivo

- La vida cotidiana y las rutinas son aspectos que hay que tener en cuenta en estas edades. El profesorado ha de respetar los tiempos necesarios para que niños y niñas puedan acabar sus tareas, ya que les gusta terminar el trabajo que empiezan.
- Les gusta trabajar de forma individual o en parejas. Disfrutan con los juegos de memorización, así como con los códigos, los puzles y otro tipo de enigmas.
- Son perfeccionistas, les gusta esmerarse en la presentación de sus trabajos.
- La repetición de tareas también les gusta a esta edad, así como la revisión de las mismas con el maestro y acertar las preguntas que éste formula. Son muy adecuados los proyectos de trabajo o los centros de interés, pues los alumnos y alumnas están particularmente dispuestos a averiguar cómo funcionan las cosas, a clasificar y coleccionar.

Comportamiento personal y social

- Los cambios en las amistades son frecuentes. Es un buen momento para el trabajo en parejas, y los niños y niñas aceptarán de buen grado el reparto de tareas.
- Los cambios imprevistos les perturban, deben planificarse las sustituciones.
- También debe intercalarse la seriedad de la clase con bromas y juegos.
- La comunicación con los padres y madres es fundamental.

Características del comportamiento de los niños y niñas de ocho años

Físicas

- Crece de forma lenta.
- Aumenta el control corporal.
- Gran habilidad en el manejo de la bicicleta.

- Posee un gran control motor.
- Ha alcanzado ya un gran dominio de la motricidad fina.
- Termina las manualidades y los proyectos con cuidado y detalle.

Personal y social

- Quiere ganar y jugar bajo un conjunto de reglas.
- Sus ideas acerca de las reglas todavía son vagas.
- Respeta a los adultos y al resto de compañeros y compañeras.
- Le cuesta aceptar cualquier cambio en las reglas.
- La sensación de valía depende en gran medida del éxito en clase.
- Es más independiente y responsable.

Lenguaje

- Es capaz de considerar las excepciones a las reglas gramaticales.
- Desarrolla una comprensión más profunda de la sintaxis.
- La comunicación está limitada porque le cuesta ponerse en el lugar del otro.
- Tiene dificultades para contar historias que ha oído, porque omite información crucial.

Adaptación

- Él pensamiento es más lógico y sistemático.
- Usa analogías para contar sus experiencias anteriores y para tratar con nuevas experiencias.
- Usa la conservación, la reversibilidad y la clasificación para resolver problemas en situaciones concretas.
- Es mucho más responsable e independiente.

Implicaciones educativas

Visión y habilidades motrices

- Es el momento de introducir la letra ligada, porque ya están preparados para ello. Los dibujos ya han alcanzado la fase esquemática, muestran una mayor atención al diseño, al equilibrio y la perspectiva. Las capacidades de la motricidad fina se consolidan y se desarrollan con más rapidez.

Habilidades motrices ordinarias

- Debe concentrarse en las habilidades de aprendizaje exigidas para los juegos y los deportes organizados. Actividades como el equilibrio sobre una barra, el fútbol y las carreras de relevos permiten a los niños y niñas aumentar sus habilidades en el empleo y control de su cuerpo.

Desarrollo cognitivo

- Los alumnos y alumnas pueden pensar de forma lógica, siempre que los problemas se circunscriban al terreno de sus experiencias. No obstante, debe tenerse en cuenta que, pese a su capacidad lógica, siguen teniendo problemas para tratar situaciones complejas.
- La información o los conceptos deben presentarse de diversas formas para cubrir, en la medida de lo posible, los distintos enfoques del alumnado.
- A esta edad, el aprendizaje es más sólido cuando procede de objetos concretos y de la manipulación directa del material sobre el que trabajan.

Comportamiento personal y social

- Las relaciones con los compañeros y compañeras cobran mayor importancia e intensidad.
- Deben organizarse actividades en grupo que ayudarán a los alumnos a ganarse la aceptación de los demás y a establecer roles. La interacción entre los niños y niñas con el docente puede ayudarles a relacionarse emocionalmente con los adultos fuera del hogar y alcanzar de forma lenta la independencia de la familia.
- A esta edad, debe alentarse a los alumnos y alumnas a que asuman responsabilidades, como hacer encargos o cubrir sus propias necesidades.

Archivo

El archivo de los elementos que configuran los portafolios es otra cuestión que se plantea de forma constante. La pregunta gira en torno a cómo almacenar toda la información. Una vez más, la respuesta no es sencilla. La decisión debe basarse en el sistema de archivo que se emplee en el centro o en las preferencias personales del docente. Puede emplear carpetas, archivadores de acordeón o de otro tipo, e incluso cajas de cartón para guardar alguno de los materiales de los portafolios.

En el momento en el que se inicie la aplicación de la evaluación basada en portafolios, pueden utilizarse archivadores sencillos o sobres de cáñamo. Sin embargo, cuando los portafolios se hayan aplicado por completo, el material de evaluación no cabrá en un solo archivador. El material de archivo de la información deberá ser resistente y fácil de etiquetar.

Del mismo modo, los portafolios de aprendizaje deberán ser lo bastante grandes como para contener muchas muestras de trabajo. En cambio, los portafolios privados y los portafolios acumulativos, que se compartan con otros educadores, serán más sencillos.

Con el tiempo, cuando se apliquen otras técnicas de evaluación, como las grabaciones de audio o video, el material que se genere no cabrá en un archivador o en una caja de cartón. Esto no debe suponer un problema. Las cintas, por ejemplo, pueden archivarse junto al reproductor de audio o video, de forma que los niños y niñas tengan acceso constante a la recreación de sus actividades.

De hecho, los portafolios pueden ocupar todos los rincones del aula. Los portafolios que deban ser objeto de revisión por parte del docente, o que los niños y niñas deban revisar de forma constante, se archivarán en una estantería baja. Asimismo, se mantendrán los sellos con la fecha a mano, de forma que puedan datarse las muestras de trabajo con facilidad. Las fotos pueden guardarse en una caja hasta que los alumnos puedan seleccionarlas y archivarlas en sus portafolios.

Los portafolios privados con la información médica, los informes del educador o educadora y el resto del material confidencial se archivarán en un cajón de la mesa del profesor.

Conclusiones

En este capítulo, se han descrito los tres tipos de portafolios y los numerosos elementos que pueden recopilarse e incluirse en ellos. Como puede observarse, la evaluación basada en portafolios consiste en algo más que en recopilar muestras de dibujos o de texto. Por ello, tiene sentido aplicar los portafolios paso a paso. El próximo capítulo guiará al educador a través de las diez fases del proceso de creación de portafolios, que fomentará la reflexión, la comunicación y el aprendizaje permanente en el seno del programa educativo.

Referencias

BREDEKAMP, S.; COPPLE, C. (eds.) (1997): *Developmentally Appropriate Practice in Early Childhood Programs.* (Edición revisada). Washington, D.C.. National Association for the Education of Young Children.

BLOME, C.; SHORES, E.F. (1995): «Begining to use portfolios in the primary grades». *FOCUS*, pp. 7-9.

HIRSCH, E.S. (1984): *The Block Book.* Washington, D.C. National Association for the Education of Young Children.

MISSISIPPI DEPARTMENT OF EDUCATION (1992): *Developmental Instruction Strategies: Kindergarten Through Third Grade.* Mississippi Department of Education.

NIELSEN, B.S. (1995): *Assessment Resource Handbook.* Columbia. South Carolina Deparment of Education.

PALEY, V.G. (1991): *The Boy Who Would Be a Helicopter.* Cambridge. Harvard University Press. Citado en WILTZ, N.W.; FEIN, G.G.(1996): «Evolution of a narrative curriculum: The contributions of Vivian Gussin Paley». *Young Children,* 51, (3), pp. 61-68.

TAYLOR, J. (1996): «How I learned to look at a first-grader's writing progress instead of his deficiencies». *Young Children,* 51, (2), pp. 38-42.

Para saber más...

ANSELMO, S. (1987): *Early Childhood Development: Prenatal Through Age Eight.* Columbus. Merrill.

BAROODY, A.J. (1987): *Children's Mathematical Thinking: A Developmental Framework for Preschool, Primary, and Special Education Teachers.* New York. Teachers College Press. (Trad. cast.: *El pensamiento matemático de los niños: un marco evolutivo para maestros de preescolar, ciclo inicial y educación especial.* Madrid. Visor, 1988.)

BARTZ, D.; ANDERSON-ROBINSON, S.; HILLMAN, L. (1994): «Performance assessment: Make them show what they know». *Principal,* enero pp. 11-14.

BOEHM, A.E.; WEINBERG, R.A. (1987): *The Classroom Observer: Developing Observation Skills in Early Childhood Settings.* New York. Teachers College Press. (2.ª ed.).

EDDOWES, E.A. (1995): «Drawing in early childhood: Predictable stages. Dimensions od». *Early Childhood,* 24, (1), pp. 16-18.

ENGEL, B.S. (1996): «Learning to look: Appreciating child art». *Young Children,* 51, (3), pp. 73-79.

FALK, B. (1994): *The Bronx New School: Weaving Assessment into the Fabric of Teaching and Learning.* New York. National Center for Restructuring Education, Schools, and Teaching. (BOX 110, Teachers College, Columbia University, New York, NY, 10027.)

FARR, R.; TONE B. (1994): *Portfolio and Performance Assessment: Helping Students Evaluate Their Progress as Readers and Writers.* New York. Harcourt Brace. (Este libro ofrece muchas ideas para actividades de escritura y lectura y para el seguimiento de las tareas de evaluación. También incluye comentarios valiosos acerca del uso de rúbricas para la evaluación de portafolios completos. Es un libro recomendable.)

HYSON, M.C. (1994): *The Emotional Development of Young Children: Building an Emotion-centered Curriculum.* New York. Teachers College Press.

KATZ, L.G.; CHARD, S.C. (1989): *Engaging Children's Minds: The Project Approach.* Norwood. Ablex.

KELLOG, R. (1970): *Analyzing Children's Art.* Palo Alto. Mayfield. (Trad. cast.: *Análisis de la expresión plástica del preescolar.* Madrid. Cincel, 1987.)

LINDER, T.W. (1990): *Transdisciplinary Play-based Assessment: A functional Approach to Working with Young Children.* Baltimore. Paul H. Brookes Pub. Co.

MARZANO, R.J.; PICKERING, D.; McTIGHE, J. (1993): *Assessing Student Outcomes: Performance Assessment Using the Dimensions of Learning Model.* Alexandria. Association for Supervision and Curriculum Development.

NORTHEAST FOUNDATION FOR CHILDREN (1987): *A notebook for Teachers: Making Changes in the Elementary Curriculum.* Greenfield. Northeast Foundation Children.

PAPALIA, D.E.; OLDS, S.W. (1979): *A Child's World: Infancy Through Adolescence.* New York. McGraw-Hill. (2.ª ed.) (Trad. cast.: *Psicología del desarrollo: de la infancia a la adolescencia.* México. McGraw-Hill, 1985.)

PERKINS, H.V. (1979): *Human Development and Learning.* Belmong. Wardsworth Pub. Co. (2.ª ed.)

PETERSON, R.; FELTON-COLLINS, V. (1986): *The Piaget Handbook for Teachers and Parents: Children in the Age of Discovery. Preschool-Third Grade.* New York. Teachers College Press.

PUCKETT, M.B.; BLACK, J.K. (1994): *Authentic Assessment of the Young Child: Celebrating Development and Learning.* New York. Merrill.

RINALDI, C. (1993): «The emergent curriculum and social constructivism», en EDWARDS, C.; GANDINI, L.; FORMAN, G. (eds.): *The Hundred Languages of Children: The Reggio Emilia Apprach to Early Childhood Education.* Norwood. Ablex, pp. 101-111.

SEEFELDT, C. (1995): «A serious work». *Young Children,* 50, (3), pp. 39-45.

TIEDT, I.M. (1993): «Collaborating to improve teacher education: A dean of education's perspective», en GUY, M.J. (ed.): *Teachers and Teacher Education: Essays on the National Education Goals* (Teacher Education Monograph, 16). Washington, D.C. ERIC Clearinghouse on Teacher Education, American Association of Colleges for Teacher Education, pp. 35-60.

WILTZ, N.W.; FEIN, G.G. (1996): «Evolution of a narrative curriculum: The contributions of Vivian Gussin Paley». *Young Children,* 51, (3), pp. 61-68.

5
El proceso de creación de portafolios estructurado en diez fases

5

El proceso de creación de portafolios estructurado en diez fases

Este capítulo guiará al profesorado a través de las diez fases del proceso de creación de portafolios. Tras establecer una planificación general, la siguiente fase se ocupa de la estrategia más común empleada en los portafolios: la recopilación de muestras de trabajo. El proceso culminará con el empleo de los portafolios en la transición entre cursos o ciclos educativos. Si se ha puesto en práctica alguna de las estrategias, puede que se desee aplicar estrategias nuevas para complementar el actual sistema de evaluación.

El proceso debe aplicarse en el orden que más convenga al educador o educadora, porque los mejores sistemas de portafolios se desarrollan a partir de las necesidades e intereses particulares de una comunidad educativa concreta. No obstante, para la mayoría de los programas de educación infantil lo más aconsejable será comenzar con las tres primeras fases del proceso, que deberán aplicarse en un único año o curso escolar.

Las diez fases a las que nos referimos son:

1. Establecer un plan para utilizar portafolios.
2. Recopilar muestras de trabajo.
3. Hacer fotografías.
4. Emplear los diarios de aprendizaje.
5. Mantener entrevistas con los alumnos y alumnas.
6. Hacer anotaciones sistemáticas.
7. Hacer anotaciones anecdóticas.
8. Escribir informes.

9 Mantener conversaciones a tres bandas sobre los portafolios.
10 Preparar portafolios acumulativos para el paso de un curso a otro.

En la mayoría de los apartados dedicados a las fases del proceso, la información se organiza en secciones denominadas «Preparación», «Para empezar a...», «Un paso más», e «Implicar a las familias». La sección «Preparación» contiene información acerca de la fase que se trata en el apartado.

La sección «Para empezar a...» presenta una serie de procedimientos para aplicar la estrategia. Las dos secciones finales contienen sugerencias para profundizar en la estrategia y para trabajar con las familias.

Si se trabaja con compañeros o con las familias, debe comentarse con ellos cada estrategia antes de comenzar a aplicarlas. Además, debe planificarse de forma personalizada, atendiendo siempre a las circunstancias específicas en las que se trabaja. Puede ser útil establecer un calendario en el que se concreten las fechas de inicio y final de la aplicación de cada fase y mantener un registro de las mismas.

Fase 1. Establecer un plan para utilizar portafolios

Preparación

- ¿Cómo se implantará la evaluación a través de portafolios en el centro o programa educativo?
- ¿Qué se hará con todo el material que se acumula en los portafolios?
- ¿Cómo se puntuarán las muestras de trabajo de los niños y niñas?
- ¿Son compatibles los portafolios con los exámenes y los informes?

Éstas son preguntas complejas y fundamentales sobre la evaluación basada en portafolios. Hay múltiples respuestas para todas ellas.

El proceso de creación de portafolios estructurado en diez fases, diseñado para seguir de forma constante el aprendizaje de los niños y niñas, el profesorado y los padres y madres, se caracteriza por las siguientes prácticas:

- El alumno o alumna debe llevarse la mayor parte del material a casa.
- Los portafolios son un componente de un sistema de evaluación, en el que pueden incluirse también los informes y los exámenes, aunque de forma li-

mitada (más en la educación primaria que en la educación infantil), lo que no es óbice para que los portafolios conformen la base del sistema.
- La mayor parte de las muestras de trabajo no se puntúan (al menos con notas o puntos).

A pesar de estas respuestas, cada centro educativo y cada maestro deben responder de forma independiente. El éxito de la aplicación del proceso depende en gran medida de las respuestas que se den a las preguntas expuestas antes de poner en práctica los portafolios, además de la implicación de los padres y madres a la hora de hacerlo y durante su aplicación.

El plan para utilizar portafolios contiene una serie de *directrices para la selección de los elementos que se incluirán en los portafolios* y relaciona estos elementos con los objetivos globales de investigación y educativos.

Un plan efectivo para utilizar portafolios puede derivar en cambios graduales en el currículo y la educación. Como paso previo a la implementación del plan, deben analizarse los objetivos y el proyecto educativo del centro, que se aplicarán posteriormente en el entorno del aula. El plan para utilizar portafolios también debe reflejar cómo éstos complementarán la evaluación estándar y los mecanismos de calificación, tales como los exámenes, la evaluación basada en trabajos y los informes.

A continuación se exponen algunos ejemplos hipotéticos de cómo podría comenzar el proceso:

- El centro educativo está basado en el alumnado, pero emplea pocos métodos a la hora de evaluar el progreso de los alumnos y alumnas. Por tanto, puede que sea necesario desarrollar un plan que recoja pruebas de las distintas fases del desarrollo infantil.
- Los padres y madres de los alumnos del centro educativo valoran de forma especial los aspectos académicos infantiles y esperan que sus hijos realicen una gran cantidad de trabajo. Por ello, el sistema de portafolios que se desarrolle deberá hacer hincapié en la fotografía y en la observación sistemática, como medio para documentar los beneficios del aprendizaje en el centro educativo.
- Un centro educativo ha desarrollado pormenorizadamente los objetivos curriculares y ha diseñado un sistema de evaluación para constatar el dominio de habilidades y conceptos concretos. Este sistema exige que los alumnos y alumnas realicen pruebas con frecuencia y que los maestros registren las notas de los alumnos y alumnas en una base de datos organizada a partir de esas habilidades concretas. En este centro, la utilización de

portafolios debe centrarse en la recopilación de muestras de diferentes tipos de texto, tales como redacciones, artículos, trabajos de investigación, que animarán a los docentes a conseguir un equilibrio entre las habilidades del alumnado y sus reflexiones.

- La administración educativa donde se ubica el centro mide de forma anual el dominio de determinados conceptos a través de pruebas y hace una lista de las escuelas de acuerdo con sus resultados medios. En este caso, el énfasis deberá recaer en el progreso de los alumnos y alumnas, cuyos resultados en las pruebas hayan sido bajos, recopilando material sobre su trabajo.
- Si el centro educativo emplea un sistema convencional basado en libros de textos, resultará pertinente seleccionar material que refleje la aplicación del conocimiento y las capacidades en actividades reales.

Un proyecto de portafolios adecuado para programas de educación infantil o primaria se articulará en torno a la selección de elementos que reflejen los objetivos curriculares, al tiempo que animará a los alumnos y alumnas, al profesorado y a las familias a colaborar en la elección del material.

Es aconsejable que los docentes mantengan un criterio específico a la hora de recopilar los materiales para los portafolios. La normalización de las elecciones permite a los futuros docentes seguir de forma sencilla los progresos en el desarrollo a través de los dibujos y las muestras de trabajo. No obstante, no es posible extraer el máximo beneficio de los portafolios en el aprendizaje infantil si no se implica a los propios niños en la selección el material. Al elegir los materiales que deben archivarse y examinarlos pasado un tiempo, los niños y niñas podrán comprender su progreso. Esta comprensión, les permitirá, además, colaborar de forma directa con los maestros en la evaluación de su trabajo y en la planificación de futuras tareas.

Una plan para utilizar portafolios deberá:

- Identificar la finalidad o finalidades de los portafolios, como por ejemplo: aumentar la comunicación dentro de la comunidad educativa.
- Establecer qué tipo de producciones y materiales se recopilarán.
- Tener en cuenta que los docentes, el alumnado y las familias (si es posible) deben colaborar para seleccionar los materiales del portafolio permanente.
- Fijar el calendario, si es necesario, para recopilar los materiales.
- Acordar los criterios de evaluación.
- Estipular las entrevistas a tres bandas, que deberán mantenerse en determinados momentos del año.
- Identificar los procedimientos para proteger la información confidencial.

- Establecer los procedimientos para enviar los materiales a los padres y madres y para conservar los elementos una vez haya acabado el curso escolar.

A continuación, se proporciona un ejemplo de plan para utilizar portafolios que puede revisarse y ampliarse para los distintos centros educativos:

- Todo el profesorado del centro recopilará una variedad de muestras de trabajo, fotografías, diarios de aprendizaje y anotaciones anecdóticas y sistemáticas en los portafolios individuales. Los niños y los docentes emplearán estos materiales durante la planificación y la evaluación, como medio para documentar el progreso individual de cada alumno con relación a los objetivos curriculares. Los docentes resumirán las evaluaciones que hayan obtenido a través de los portafolios al final de cada trimestre.
- Los portafolios estarán al alcance de los alumnos para que puedan revisarlos y se impliquen en la selección del material que se archivará en ellos.
- Los portafolios estarán a disposición de los padres, madres y tutores para su revisión durante las entrevistas a tres bandas y siempre que así lo requieran. De igual modo, se potenciará la implicación de los padres a la hora de aportar materiales a los portafolios y comentar sus contenidos.
- Padres, maestros y niños colaborarán en la selección de los elementos clave y en la conservación de los portafolios acumulativos, que se pasarán a los futuros docentes. En ellos, también se conservarán copias de los informes. El resto del material se enviará a las familias al final del curso académico.

Para empezar a diseñar un plan de uso de portafolios

1. Se establecerá una plataforma de debate, en pequeños grupos, entre educadores, personal de administración y los padres y madres. Se tomarán notas de los comentarios que realice cada grupo.
2. Se nombrará una comisión de educadores, personal de administración y padres y madres para revisar todos los comentarios y desarrollar un esbozo del plan.
3. Se distribuirá el esbozo y se realizarán comentarios sobre él.
4. Se harán nuevas revisiones si fuera necesario.
5. Se acordará el plan y se establecerá un calendario de implementación para evitar confusiones posteriores.
6. Se enviará el plan a todos los miembros de la comunidad: maestros, padres

y madres, personal de administración y miembros del consejo escolar (si es que los hubiera).

7 Se establecerá un período de prueba.

8 Por último, se acordarán las fechas para una posterior revisión del plan y del proceso de implementación.

Implicar a las familias

Los padres y madres necesitan entender el sistema de evaluación del alumnado de forma global. Es importante que conozcan y apoyen los criterios de aprendizaje del programa. Unos portafolios eficaces pueden ayudar a mostrarles el progreso según un criterio determinado, así como a conservar pruebas de las cualidades específicas de sus hijos.

El maestro incluirá una carta sobre la función de los portafolios en el sistema de evaluación en cada informe que envíe a las familias y proporcionará, además, el texto del plan para la utilización de portafolios. En ella, debe recordarse a los padres y madres la posibilidad de revisar los portafolios.

A continuación, se ofrece un ejemplo de carta de presentación:

Apreciados padres y madres:

Estamos interesados en la progresión del aprendizaje y del desarrollo de cada uno de vuestros hijos e hijas. Por ello, empleamos una variedad de recursos para observar y documentar sus avances, como son por ejemplo: promover portafolios, recopilar trabajos y producciones de los niños y niñas, hacer fotografías y tomar anotaciones sobre ellos. Sus hijos e hijas tendrán la oportunidad de comentar los progresos y los objetivos de aprendizaje a lo largo del año. Queremos que se involucren también en ello.

La información adjunta explica nuestro sistema de portafolios y nuestros esfuerzos para asegurarnos de que todas las familias puedan participar en este proyecto.

Por favor, contacten con nosotros si tienen sugerencias o preguntas, porque estamos interesados en su aportación.

Debe enfatizarse particularmente el interés por las observaciones de los padres y madres sobre el progreso de sus hijos. Se les tiene que animar a enviar notas, fotografías, dibujos, etc. para poder incluirlas en los portafolios.

Fase 2. Recopilar muestras de trabajo

Preparación

El plan para el uso de portafolios contiene las directrices generales para definir el tipo de muestras que el educador debe recopilar (dibujos, plumas de pájaros, fotografías de las construcciones o muestras de escritura).

A partir de esa base, el docente deberá tomar otras decisiones:

- ¿Recopilará muestras de escritura, fotografías de las actividades de matemáticas, dibujos y otro tipo de muestras, o sólo algunas de ellas?
- ¿Recogerá un número determinado de muestras para cada niño o niña?
- ¿Habrá un intervalo de tiempo entre cada muestra que se recoja? (Semanalmente, dos por semana...) ¿o recogerá las muestras cuando le parezca adecuado?
- ¿Recopilará los mejores trabajos, borradores o ambos tipos de muestra?
- ¿Puntuará cada muestra? En caso de hacerlo, ¿quién establecerá el sistema de puntuación?

Parece que lo más adecuado para la educación primaria es concentrarse en recopilar muestras de trabajo que los niños y niñas realicen de forma voluntaria (que son, de hecho, las auténticas muestras de trabajo), en lugar de establecer un calendario fijo. Esto garantiza que muestren las verdaderas capacidades de los alumnos. Por tanto, los portafolios de algunos de los alumnos contendrán más muestras de escritura, mientras que otros incluirán un mayor número de dibujos, fotografías o manualidades. El docente no debe en ningún caso pedir a un niño o niña, por ejemplo, «que dibuje una casa con suelo y cielo» para evaluar el dominio de la fase esquemática del dibujo. No cuestionamos este método de evaluación, pero parte de concepciones distintas de las auténticas muestras de trabajo.

Puede que el maestro sugiera que los alumnos archiven notas, borradores, trabajos en desarrollo y material de trabajo en sus portafolios. Es aconsejable recopilar muestras de trabajo (véase la descripción de los diferentes tipos de portafolios en las páginas 58 a 60). De esta manera, los alumnos y alumnas tienen la posibilidad de revisar las pruebas de sus esfuerzos. Puede que algunos trabajos se archiven en el portafolio de aprendizaje, bien como referencia, bien como modelo para actividades educativas posteriores, o porque el maestro considere oportuno incluirlas en el portafolio acumulativo que recibirá el futuro profesor o profesora. En todo caso debe recordarse que no es adecuado fotocopiar fragmentos del diario infantil como muestra de trabajo sin el permiso del niño o niña. Si se quiere hacer, el docente puede consultar al alumno si desea que se incluya el trabajo en el portafolio. Si prefiere llevárselo a casa, el docente hará una fotocopia para el portafolio. Luego, cuando el niño acabe la tarea encomendada, se le puede pedir que participe en su evaluación y revisión con el método que se expone más adelante. Durante esta reflexión, se comentará qué materiales pueden archivarse en el portafolio, dada su importancia; tal vez algunos bocetos o borradores sean útiles en proyectos posteriores. El alumno puede llevarse el resto de los materiales a casa.

Puesto que hacer fotocopias a color de los trabajos resulta caro, el profesor puede intentar encontrar a un padre o madre que proporcione este servicio gratis, como donativo al centro educativo, o negociar un descuento en una copistería. Si un padre o madre o un establecimiento presta su apoyo en este sentido, esta aportación deberá mencionarse siempre en las presentaciones, en el periódico escolar, etc.

Es aconsejable incluir varios trabajos en cada sección, ponerles fecha y anotar comentarios sobre su importancia.

Nota: El docente deberá plantearse cómo quiere evaluar y si esta fase de los portafolios encaja en sus objetivos de evaluación. Además, revisará el resto de fases de este proceso, porque puede que alguna de las estrategias expuestas en ellas sirva mejor a sus propósitos.

Para empezar a recopilar muestras de trabajo

1 Debe seleccionarse un trabajo o actividad para incluirlo en el portafolio de aprendizaje o en el portafolio acumulativo que se pasará al futuro profesor o profesora, a partir del trabajo con un alumno o alumna y según los criterios que se hayan establecido. Se colocarán los portafolios o las cajas y varias etiquetas con la fecha en un lugar accesible para los niños. A continuación, el maestro pedirá al niño que firme y feche todas las muestras de trabajo y que las coloque en su portafolio. Para animarle a hacerlo, el docente empleará frases como: «Después podemos mirar tu dibujo o leer tu historia para comentar por qué está tan bien».

2 Luego, pedirá a los alumnos que dicten o escriban comentarios sobre los trabajos. Hará preguntas para ayudar al niño o niña a pensar en ellos. Éstas deberán ser simples y abiertas. No debe preguntarse continuamente al niño o niña si está cómodo en esta fase.
- ¿Cómo has hecho este trabajo?
- ¿Qué te gusta más de él?
- ¿Qué te gustaría cambiar de él?
- ¿Te gustaría hacer un proyecto parecido a éste?

Durante esta fase, es importante anotar por qué el niño o niña escogió un material o elemento determinado. Por este motivo se les debe animar a que comuniquen sus pensamientos: «Creo que este dibujo es bueno porque la verja de la casa va hacia fuera y no hacia arriba». A un comentario como éste puede añadirse otro del tipo: «Alejandra reconoce los ángulos y la perspectiva en sus dibujos».

Al principio, los alumnos responderán con monosílabos o con el típico «no lo sé». A medida que se trabaje con ellos, las respuestas proporcionarán más detalles y la práctica será más distendida.

Hablar acerca de las muestras de trabajo, preparará a los alumnos para fases posteriores del proceso: comentar fotografías, escribir en sus diarios y participar en conversaciones más largas. (En la imagen inferior se proporciona un modelo para recoger los comentarios de los alumnos acerca de las muestras de trabajo; también aparece en el apéndice de la página 179 en un formato de más fácil reproducción. Puede emplearse este modelo, incluso fotocopiarse, crear uno propio o usar una hoja en blanco en lugar de un modelo.)

3 El maestro hará sus propios comentarios respondiendo a las siguientes preguntas:
- ¿Cómo comenzó la tarea (por iniciativa del alumno o alumna o del docente)?
- ¿Constituye un avance importante para el alumno o alumna?

Comentarios de las muestras de trabajo por parte del niño o niña

Nombre .... Fecha ....

Tarea: ....

¿Cómo hice este trabajo?
....
....
....

¿Qué me gusta del trabajo?
....
....
....

¿Qué me gustaría cambiar?
....
....
....

¿Me gustaría trabajar en ello de nuevo?
....
....
....

Comentarios de las muestras de trabajo por parte del maestro o maestra

Nombre .... Fecha ....

Tarea: ....

❑ Iniciada por el profesor ❑ Iniciada por el alumno o alumna

Habilidad/Concepto: ....

Referencia: ....

❑ Inicio ❑ Desarrollo

❑ Dominio ❑ Ampliación

Notas:
....
....
....
....
....
....

- ¿La muestra representa un avance con respecto a un objetivo determinado?
- ¿La muestra significa que el alumno o alumna está aplicando o haciendo extensivo el concepto o la habilidad en una situación nueva?

Estos comentarios acerca de las muestras no sólo aumentan el valor de éstas, sino que también refuerzan la habilidad y competencia para escribir del docente. Éste puede preparar los comentarios en el momento en el que seleccione los trabajos con el niño o niña o dejarlo para un momento posterior. (En la imagen superior se muestra un modelo para recoger los comentarios del profesor o profesora; también aparece en el apéndice, p. 180 para su reproducción. Asimismo es posible, como siempre, crear un modelo propio e incluso emplear una hoja en blanco sin formato alguno.)

4 Si es posible, se adjuntarán los comentarios del profesor y del alumno al trabajo. En el caso de los dibujos conviene que el maestro no haga anotaciones directas sobre el papel; es preferible añadir los comentarios en una hoja aparte que se grapará en el original, de esta manera se archiva fácilmente en el portafolio.

5 El docente debe plantearse cómo puede el alumno consolidar la experiencia de aprendizaje.

A continuación se ofrecen algunas posibilidades:

- Copiar la pieza en otro material.
- Usar el mismo material para otro trabajo.
- Preparar o revisar el trabajo para su publicación posterior en el periódico de la clase o del centro educativo.
- Demostrar los descubrimientos a un grupo pequeño de alumnos y alumnas o al grupo-clase.

Estas ideas pueden comentarse con el alumno o alumna. El docente anotará las decisiones en su agenda o en su libreta (véanse las páginas 47 a 49).

6 También debe contemplar la posibilidad de implicar a las familias a través de la muestra de trabajo. Así, por ejemplo, se puede:

- Enseñar la muestra al padre o madre en la próxima entrevista.

- Colgar la tarea en el mural de clase.
- Publicarla (si el niño o niña está de acuerdo) en el periódico de clase o del centro educativo, junto con los comentarios del alumno.
- Animar a los padres y madres a que la actividad se desarrolle también en casa.
- Invitar a los padres y madres a participar en las actividades de seguimiento del centro.

7 El docente, por último, anotará sus planes en su agenda o en su libreta para actividades posteriores.

Un paso más

Evaluación personal de cada niño o niña

Una vez que los alumnos se hayan familiarizado con los métodos para comentar un tipo de muestra de trabajo del portafolio, el docente puede darles más responsabilidad. Por ejemplo, puede pasarse de recopilar dibujos o muestras de escritura, a recopilar fotografías hechas por los niños y niñas.

Es aconsejable recoger la mayor variedad posible de muestras de trabajo, porque refleja una gama amplia de actividades infantiles y es una prueba importante de lo divertida que puede llegar a ser la clase.

Evaluación entre compañeros y compañeras

Puede potenciarse la recogida de muestras de trabajo si se involucra al alumnado en la tarea de comentar el trabajo de sus compañeros. Esto resultará más adecuado, incluso natural, si la interacción se produce en el seno de un grupo pequeño, por ejemplo en caso de que los niños trabajen en equipo en un proyecto.

A continuación exponemos dos ejemplos.

- Unos alumnos y alumnas de educación infantil está construyendo una ciudad con las piezas de un juego de construcción y hablan de ello. La maestra les puede pedir permiso para tomar notas mientras ellos juegan (aunque la evaluación nunca debe suponer una carga o un impedimento para el juego).
- Un alumno de primaria está escribiendo un monólogo para una obra de teatro. El docente puede sugerirle que pida a un compañero o compañera que sea su público durante los ensayos y que opine sobre su trabajo o sobre su desarrollo.

También es posible establecer criterios rígidos de evaluación y revisión dentro de los grupos pequeños de trabajo. Para ello, el docente puede dar a conocer, de forma asequible, a través de una lista sencilla y fácil de usar, los objetivos que ha establecido para una tarea determinada. A continuación, puede sugerir a los miembros del grupo que se evalúen según los criterios establecidos, evaluación que podrá emplearse posteriormente para planear *junto a los alumnos y alumnas* las actividades que permitan mejorar las debilidades del grupo. (No se recomienda, sin embargo, la evaluación general en el seno de toda la clase, pues ésta no suele propiciar la reflexión y la comunicación adecuada entre los niños y niñas.)

Archivo de material en el portafolio acumulativo

En alguna ocasión, es aconsejable sugerir al alumno o alumna que una tarea acabada se incluya en el portafolio que recibirá el futuro profesor. (Véase la descripción de un portafolio acumulativo, en las páginas 59 y 60). La mayoría querrá seleccionar las piezas que se archivarán en este portafolio. La participación del niño en la creación y formación de este portafolio se expondrá con mayor detalle en la fase diez: «Uso de los portafolios acumulativos».

Implicar a las familias

Las exposiciones, la revista del centro, los informes y las reuniones con los padres y madres son una buena oportunidad para compartir las muestras de trabajo con una comunidad educativa más amplia:

- El maestro puede pedir a los niños que organicen una exposición para una jornada de puertas abiertas o puede habilitar un panel o un mural donde se expongan los trabajos para que los padres y madres los vean cuando dejen o recojan a sus hijos. Puede usar los comentarios de los niños y niñas como texto para ilustrar los murales, que deberán cambiarse con cierta frecuencia.
- Con el permiso de los alumnos, el profesor puede reproducir algunos dibujos en el periódico del centro educativo con una explicación breve de cómo evolucionan los niños y niñas como artistas.
- Puede crear una exposición de diapositivas de unos pocos minutos, para la próxima reunión de los padres y madres, y titularla, por ejemplo: «Los trabajos recientes de los artistas de seis años». A la hora de comentarla, puede proporcionar información sobre los objetivos que las muestras de trabajo reflejan. Si las diapositivas resultan demasiado caras, bastará con colocar las muestras en la pared y señalarlas cuando las comente.

- Para apoyar a los padres y madres que no dispongan de transporte, puede animar a los que sí disponen a ir juntos a ver la exposición. (Un proyecto en el que se presente un mapa del barrio ayudaría a los padres y madres y a sus hijos a saber quiénes son sus vecinos y a fomentar la asistencia conjunta a las reuniones.)
- El cuidado de los niños y niñas puede resultar también un problema. Por ello, los encuentros deben planearse con antelación para que los padres puedan organizarse.

Además, debe pedirse a las familias que reflexionen acerca de su propio trabajo. Para ello, el docente diseñará actividades «en familia», más que deberes. Al final de cada actividad, incluirá una guía que ayude a padres y madres a reflexionar sobre la experiencia a través de una serie de preguntas, como:

- ¿Les ha resultado interesante, se han divertido con la actividad?
- Hagan una lista de dos cosas que hayan aprendido con la actividad.
- ¿Pueden volver a repetir esta actividad en casa, quizá de otro modo?

Fase 3. Hacer fotografías

Preparación

Esta fase consiste en *hacer fotografías frecuentes de los niños y niñas y de sus actividades*. Es aconsejable invertir en una cámara de buena calidad (véase en el apéndice la página 187). Éste es un paso relativamente caro en el proceso de portafolios que algunos centros, quizá, no puedan costearse. No obstante, se recomienda como fase tercera, ya que ayuda a preparar al docente para realizar anotaciones escritas, aunque es posible aplicar las diez fases del proceso sin emplear la fotografía.

Si el centro asume el portafolio como estrategia eficaz para los niños y las niñas de educación infantil y primaria, es muy probable que no disponga de presupuesto para adquirir cámaras fotográficas para todas las aulas. Si se agotan todos los recursos para lograrlo (subvenciones, asociación de padres de alumnos...), siempre queda la posibilidad de que alguna familia nos pueda ceder una cámara.

Es posible que dos o tres maestros compartan una misma cámara, aunque puede constituir un problema logístico, por lo que no es recomendable salvo que los docentes trabajen en una única sala o un único centro educativo.

Una vez se disponga de la cámara, se tendrá siempre preparada aunque lejos del alcance de los niños. (Si es posible, puede ponerse a su disposición una cámara más barata). El maestro intentará hacer algunas fotografías cada semana, cuando ocurran acontecimientos relevantes. No se debe pedir a los alumnos que posen para las fotografías, porque rompería la espontaneidad de los hechos que se pretenden retratar. Al principio, los niños notarán que el maestro está fotografiándoles y querrán «sonreír a la cámara», pero pronto se acostumbrarán y no se darán cuenta de su presencia.

Es muy importante, que el maestro tome notas acerca de las escenas que retrata. Para ello, puede emplear una libreta de espiral y guardarla junto a la cámara y las fotografías reveladas. Puede conservar las notas hasta que tenga las copias y archivarlas junto a ellas en los portafolios de los niños. (En el caso de que cuenten con la financiación suficiente, los docentes pueden grabar sus impresiones sobre los acontecimientos en una grabadora para transcribirlas posteriormente.)

Nota: El maestro deberá plantearse cómo quiere evaluar y si esta fase de los portafolios encaja en sus objetivos de evaluación. Además, revisará el resto de fases de este proceso, porque puede que alguna de las estrategias expuestas en ellas sirva mejor a sus propósitos.

Para empezar a hacer fotografías

1. Hay que tomarse el tiempo necesario para componer la fotografía. Aunque no es necesario que las fotografías sean artísticas, es importante que narren la historia que está ocurriendo. Retratará las caras de los niños y niñas para poder identificarlos después. Cogerá un poco del fondo para recordar dónde ocurrió el hecho. Así, si hace fotografías de un proyecto de construcción, tomará primeros planos de las manos de los alumnos y alumnas; en cambio si el objetivo es retratar un momento de la vida social de la clase, hará una foto de grupo con un plano más amplio.
2. Es necesario tomar notas y escribir comentarios sobre el incidente y los hechos que retrate. En ellas, apuntará la fecha, el lugar, los nombres de los niños y el significado de cada escena.
3. Revelará los carretes de película lo antes posible con dobles copias. Los duplicados le permitirán usar la misma fotografía para más de un portafolio o para dar a los padres.
4. Cuando lleguen las copias, deberá anotar de forma inmediata las fechas y los detalles necesarios en el sobre («Laura López, escuela infantil, sema-

na del 25 de marzo») y archivar los negativos en el sobre y dentro de una caja dura.

5 Luego revisará las notas relativas a los incidentes u objetos del momento en el que se hicieron las fotografías. Este es el momento de decidir si las notas son suficientes o si deben complementarse con alguna adicional. Cabe preguntarse, por ejemplo:
   - ¿Qué pasaba cuando hice la fotografía?
   - ¿Qué ocurrió antes y después?
   - ¿Quién estaba presente?
   - ¿Quién organizó la actividad: el docente, un alumno o surgió de forma espontánea?
   - ¿Qué tipo de actividad se desarrollaba en ese momento? ¿Era relativa al desarrollo cognitivo, socioafectivo o físico?
   - ¿Supuso un avance para alguno de los niños o niñas?

   Este tipo de preguntas puede ayudar al docente a reflexionar acerca de las notas que debe tomar y acerca de los hechos a los que debe dar prioridad.

6 El profesor adjuntará sus comentarios a las fotografías. Usará notas adhesivas de calidad, para que se peguen de forma adecuada a la superficie suave de las fotografías. Este método es más aconsejable que escribir encima de las fotografías, pues tanto los lápices como los bolígrafos pueden dañarlas.

7 Si quiere adjuntar las fotografías a unas anotaciones anecdóticas previas, a unas anotaciones escritas de mayor longitud, a producciones o a otros trabajos archivados en el portafolio, es conveniente protegerlas con papel de seda, por ejemplo, para que no se deterioren.

8 Por último, el docente se planteará cómo puede emplear la fotografía para implicar a las familias.

Muestra de trabajo por cortesía del Educational Research Center de la Florida State University.

Un paso más

Una vez se haya familiarizado con el empleo de la cámara y la conservación de las fotografías en los portafolios de los alumnos, puede ampliar la estrategia implicando a los niños en el proceso.

Al observar las fotografías, los niños y niñas piensan en sus propios logros y en el proceso de selección de los trabajos que deben incluir en sus portafolios. Suelen mirar las fotografías de forma atenta para encontrarse en ellas y les gusta hablar de lo que ocurría cuando se hicieron. El hecho de que los niños y niñas disfruten con las fotografías permite extraer un beneficio adicional como primer paso para implicar al alumnado en la formación de sus portafolios.

Además, el maestro puede anunciar a todo el grupo que ha recibido un nuevo juego de fotografías de la tienda de revelado y mencionar que quizás necesite ayuda para recordar lo que ocurría en ellas; puede dejarlas encima de la mesa para que los niños puedan verlas durante el tiempo libre en el aula. (Es aconsejable guardar las copias y los negativos en un lugar seguro). Proporcionará lápices y notas adhesivas a los alumnos para que puedan escribir o dictar sus recuerdos de los hechos. Es positivo que niños y niñas hagan comentarios sobre una misma fotografía. En todo caso, si los comentarios revelan una evolución de la habilidad en la escritura de un alumno en concreto, se pueden fotocopiar las copias y archivarlas junto a los comentarios en los portafolios individuales.

El docente puede hablar también de las fotografías en pequeños grupos o de forma individual sobre sus recuerdos de los hechos, sobre sus propias opiniones acerca de los mismos y sobre la posibilidad de incluirlas en los portafolios.

Tanto si se emplea la fotografía, muestras de escritura o cintas de vídeo, o cualquier otra producción como recurso para potenciar la participación infantil en la recopilación del portafolio, las conversaciones iniciales con los niños deben ser distendidas. Por ejemplo, decir algo parecido a «bueno, ahora hablaremos de estas fotografías» puede perturbarlos e intimidarlos. Normalmente, las decisiones conjuntas sobre añadir material al portafolio acontecen de forma natural. Una frase como «éste sería un buen dibujo para tu portafolio» puede sugerir al niño o niña la idea de incluirlo y derivar en una reacción positiva en ese sentido, o incluso algo más divertido tal como: «David debería hacer una fotografía de ese dibujo para su portafolio. Es el mejor castillo que ha dibujado».

Una vez haya conseguido que los niños se interesen en la recopilación del portafolio a través de la fotografía (o de cualquier otro método), el maestro puede implicarlos de forma más sistemática en la evaluación basada en portafolios. Para ello, anunciará la llegada de un nuevo juego de fotografías y las pondrá a disposición de los niños en el rincón de escritura para que escriban, a partir de las sugerencias del maestro y de los intereses del niño, sus comentarios. Puede incluir estos comentarios junto a las fotografías en los portafolios. (Si dos o más niños eligen la misma fotografía, pueden hacerse fotocopias en blanco y negro o pedir copias en color.)

Las recreaciones de historias, las construcciones, los bailes y otras actividades pueden ser buenos temas para las fotografías infantiles. Niños y niñas pueden emplear las cámaras de reserva. Esto les permitirá seguir el mismo procedimiento y que se integren en la clase. Pueden actuar como reporteros en el aula, hacer fotografías y tomar notas sobre lo que ocurre en ella; así, también serán más conscientes de su propio progreso y al mismo tiempo realizarán habilidades importantes en actividades reales. (Si implica a los niños a la hora de sacar fotografías para los portafolios, deberá ayudarles a manejar la cámara y a comprender que no deben fotografiar todas las situaciones que ocurran.)

También puede ampliarse el uso de la fotografía usándola en la revista del centro, en artículos, presentaciones de diapositivas, vídeos, paneles...

El *uso del vídeo* es otra vertiente de esta estrategia. Los profesores de educación especial emplean las grabaciones de audio y video con éxito para la evaluación, pero estas técnicas son menos comunes en el resto de los entornos educativos. Los niños suelen disfrutar cuando evalúan sus propias intervenciones o las actuaciones de los demás.

El docente puede comprar una cinta de video para cada niño e ir añadiendo material poco a poco. Cada nueva secuencia de grabación deberá introducirse con una pequeña explicación como la que sigue: «17 de abril: descripción de Kevin de su proyecto de construcción». (Los programas de educación primaria que dispongan del equipo informático necesario para ello podrán almacenar los fragmentos de vídeo en portafolios electrónicos individuales, aunque este método, además de excepcional, es más laborioso.)

Importante: Antes de emplear las fotografías de los niños y niñas en un folleto, una presentación o en una publicación, es importante tener el permiso paterno o materno. (En el apéndice, página 181 se proporciona un modelo para la publicación o envío de una fotografía.)

Implicar a las familias

El uso de las fotografías puede ser un trampolín para fomentar una mayor participación de las familias.

- Se pueden pasar las fotografías a diapositivas y organizar una pequeña presentación para una reunión con los padres o una jornada de puertas abiertas. Puede implicar a los niños o niñas haciendo que narren la presentación. Muchas familias tienen cámaras pero no suelen usarlas salvo para ocasiones muy formales. Es necesario animar a las familias a que las usen en otros momentos e implicar a sus hijos e hijas a hacerlo, así como a escribir, en la medida de lo posible, pies de foto para enriquecer los álbumes familiares.
- Debe invitarse a los padres a suministrar a la escuela fotografías de las actividades familiares para incluirlas en los portafolios de sus hijos. El docente pensará en la forma en la que los niños pueden trasladar las experiencias del hogar al ámbito escolar. Puede que un viaje con sus primos sea un buen tema para una redacción, o que un partido de fútbol sea un punto de partida para una proyecto de investigación. Un juego de fotografías puede ilustrar un libro original sobre una reunión familiar. Debe invitarse a todos los miembros de la familia a que escriban parte del texto o incluso nombrar a la abuela o abuelo editor del texto.

Los videos de las actividades de clase son otra forma de documentación para proporcionar a las familias una mirada a la vida cotidiana de sus hijos. Deborah Greenwood, en un artículo en la revista *Young Children*, recomienda grabar los acontecimientos importantes del centro educativo en vídeo y permitir que los niños los lleven a casa por turnos.

Fase 4. Mantener conversaciones sobre los diarios de aprendizaje

Preparación

La recopilación de muestras de trabajo y de fotografías es la base y punto de partida para la reflexión sobre el aprendizaje realizado. El siguiente paso consiste en reunirse de forma regular con los alumnos para comentar todas las actividades recientes. Los pensamientos y opiniones tanto del niño como del maestro pueden registrarse en una libreta denominada *diario de aprendizaje*.

Como se explicó en el capítulo 4, el diario de aprendizaje es un archivo permanente, escrito conjuntamente por el maestro y los niños, sobre los nuevos descubrimientos y conocimientos. No es un diario típico porque es el producto de los diálogos regulares e individuales entre el docente y el alumnado.

Diario de aprendizaje

Nombre: .... Maestro/a: ....

Fecha: .... Curso: ....

He aprendido:
....
....
....

Quiero aprender:
....
....
....

Mis planes son:
....
....
....

Comentarios del maestro:
....
....
....

El diario de aprendizaje permite tener registradas las opiniones y los procesos mentales de cada alumno. Este material puede orientar actividades de seguimiento que refuercen y amplíen el conocimiento y que incluso permitan que los niños y niñas se enseñen unos a otros. Además, son un instrumento para estructurar las conversaciones individuales y una técnica básica de la evaluación a través de portafolios.

Es aconsejable que los diarios de aprendizaje se incorporen de forma gradual en el entorno del aula, de forma que los niños se familiaricen con el objetivo de éstos, antes de que comiencen las conversaciones individuales formales.

Es posible fotocopiar el modelo de diario de aprendizaje del apéndice, página 182, (o crear su propio modelo). El docente se asegurará de tenerlo siempre a mano para las conversaciones improvisadas. A medida que los niños o niñas se familiaricen con el proceso, se puede dejar de utilizar el modelo y permitir que los alumnos empleen hojas en blanco o libretas de cualquier tipo.

El docente escribirá su propia entrada de diario y la colgará en la pared para que los niños y niñas puedan verla. En cuanto sea posible, copiará una página del diario de un niño (con su permiso, claro está), para que sirva también de ejemplo.

Asimismo, animará a los niños y niñas a que hablen de su experiencia en casa. Cuando surjan nuevos temas, mostrará a los niños cómo escribir anotaciones en su diario durante las sesiones individuales, en pequeños grupos o con el grupo en su conjunto, o como considere más adecuado. Los debates sobre temas familiares o novedosos motivan a los niños a explorar, a hacer preguntas constantes y a exponer sus propias opiniones. A medida que revisen sus conocimientos sobre un tema o hagan preguntas adicionales, el diario de aprendizaje reflejará este inacabable aprendizaje.

Las conversaciones sobre los diarios de aprendizaje pueden servir como escenario para comentar un dibujo, el borrador de un escrito, una tarea o un control. En educación primaria y mientras se usen los boletines trimestrales (lo cual es aconsejable mientras los padres y madres así lo deseen), el maestro utilizará las conversaciones para comentar los boletines y halagar o elogiar a los alumnos cuando fuera necesario.

Las ideas o temas para el diario de aprendizaje pueden surgir en cualquier momento. Por ello, el educador debe llevar siempre consigo un cuaderno pequeño en el que anotar sus observaciones durante las sesiones en grupo, o propuestas para el diario. Luego, puede sugerir los temas a los niños y niñas o animarlos para que escriban o dicten sus pensamientos en el diario.

Una vez los alumnos y alumnas se hayan familiarizado con el uso de los diarios de aprendizaje, debe decidirse la frecuencia de las conversaciones sobre ellos. Las conversaciones semanales serán adecuadas para los alumnos de educación infantil y primaria. Si se fijan cuatro o cinco encuentros diarios, será posible reunirse con todo el alumnado durante la semana. En una programación basada en actividades en gran grupo, este cambio de metodología deberá planearse de forma lenta y aplicarse de forma gradual. En el día a día del aula se generan situaciones de trabajo en pequeño grupo que nos ofrecen buenas oportunidades para mantener conversaciones. Es interesante, de vez en cuando, poder contar con la colaboración de un compañero que registre estos diálogos.

LA HORA DEL DIARIO DE APRENDIZAJE

1. Se prepararán los diarios para todos los niños y niñas y se guardarán en un lugar accesible.
2. El docente dedicará cada día un tiempo para «La hora del diario de aprendizaje» e invitará a los niños a que compartan sus experiencias en la escuela o en casa. Las preguntas serán del tipo: «¿Ayer hiciste algo interesante o divertido?». El maestro ha de ser especialmente sensible y estar atento a todas las experiencias infantiles, desde la lectura de un nuevo libro a la visita al hospital para ver a un primo que acaba de nacer. También escribirá resúmenes breves de la experiencia de los alumnos, así como ideas para ampliar estos conocimientos surgidos de la vivencia: «Marta ha descubierto un parque en las afueras de la ciudad que tiene un laberinto enorme para jugar. Podemos escribir al Ayuntamiento para que nos envíen un mapa del parque.», «Juan ha aprendido que los bebés duermen mucho. Podemos buscar en la biblioteca libros acerca del comportamiento de los bebés». Estas conversaciones en gran grupo deberán mantenerse hasta que los niños tengan experiencias de aprendizaje que contar.
3. El maestro puede iniciar las sesiones de grupo comentando alguna experiencia personal de la última sesión y cómo podría ampliar sus conocimientos sobre lo ocurrido. A partir de estas conversaciones, puede crear su propio modelo de anotaciones en el diario y decidir qué escribir. Asimismo, animará a los niños y niñas a hacer sugerencias acerca de lo que deberían escri-

bir. Este proceso que servirá de modelo puede continuar durante un par de semanas, siempre con la participación de los alumnos.

4 Una vez que «La hora del diario» se haya convertido en una actividad cotidiana para los niños, éstos podrán comenzar a mantener sus propios diarios de aprendizaje (escribiendo o dictando textos en ellos). Se puede empezar por los niños y niñas que hayan adquirido mayor dominio de la escritura o por los que demuestren mayor habilidad verbal durante las conversaciones. Estos alumnos pueden enseñar cómo escriben en sus diarios durante las sesiones en las que participe el grupo completo y así motivar y ayudar a sus compañeros.

5 En alguna ocasión, es posible dividir el aula en pequeños grupos. El profesor formará grupos heterogéneos, distribuidos de forma adecuada, niños hábiles en la escritura y en la utilización de los diarios junto con otros niños que no lo sean tanto, de manera que aprendan unos de otros y pueda observarse el progreso de todos ellos.

6 La «Hora del diario de aprendizaje» deberá incorporarse al horario escolar. Al principio se organizarán estos tiempos de encuentro en pequeños grupos y se expondrán en un lugar visible de la clase los días de la semana en que cada grupo llevará a término las sesiones de esta hora.

Nota: El docente deberá plantearse cómo quiere evaluar y si esta fase de los portafolios encaja en sus objetivos de evaluación. Además, revisará el resto de fases de este proceso, porque puede que alguna de las estrategias expuestas en ellas sirvan mejor a sus propósitos.

Ana, de cinco años, cuenta durante una sesión realizada con todo el grupo-clase la visita a casa de sus abuelos durante el fin de semana y cómo ayudó a hacer un helado y un pastel. Después de su explicación, su profesora dice: «Ana, me ha gustado tu historia sobre el helado y el pastel. Si después me traes tu diario, te ayudaré a escribirla en él».

Juntas, Ana y su maestra, hablan de cómo hacer helados y pasteles. La maestra señala los utensilios de cocina y las tazas de medir del rincón de ciencias y sugiere al grupo que podrían hacer pasteles en la escuela. Además, anota en su agenda que debe invitar a los padres de la niña para que ayuden en el proyecto.

La maestra anota que Ana le dicta las recetas para hacer helados y pasteles y escribe los objetivos de aprendizaje que la experiencia expuesta por Ana permiten cumplir:

- Participar en actividades orales.
- Escribir para distintos propósitos.
- Comprender textos de diferentes tipos.
- Describir la transformación de los alimentos.

Después escribe en el modelo de diario la información recogida durante la sesión realizada con todo el grupo. (Véase la muestra adjunta).

Diario de aprendizaje

Nombre: Jessica Maestro/a: Mrs. Chandler

Fecha: 12 de marzo Curso: P5

He aprendido:
A hacer helados y pasteles. Se mezclan leche y huevos con azucar y se bate bien. Se pone en el congelador si se quiere hacer helado o en el horno si se quiere hacer un pastel. En el pastel se pone harina.

Quiero aprender:
A hacer un pastel con adornos

Mis planes son:
Hacer sorbetes de diferentes colores

Comentarios del maestro/a:
Instrucciones dictadas. Preguntar a la abuela si participaría en la elaboración de los sorbetes. Objetivos académicos: LA-02R1-011/LA-02R1-027/ LA-02R1-044, SC-02R1-019

Fuente: Little Rock (AR) School District Curriculum. Objetivos, 1996.

Para empezar a usar los diarios de aprendizaje

1. Durante las conversaciones sobre los diarios de aprendizaje, el docente puede pedir a los niños y niñas que hablen sobre lo que han aprendido en clase o en casa durante la semana anterior, sobre todo algo que les resulte interesante, divertido o que les motive. Si el alumno o alumna ha mencionado con anterioridad una experiencia interesante, se la recordará.
2. Mientras, tomará notas sobre sus comentarios o le ayudará a escribir sus propias anotaciones en el diario.
3. También sugerirá al niño o niña que piense en formas que estén a su alcance para aprender más sobre el tema. (Este paso obligará a preguntar mucho, al menos al comienzo. Si se sugieren nuevas ideas para actividades, es necesario escribir los objetivos educativos que las respaldarán.)
4. El educador también ayudará a los niños y niñas a pensar en acciones específicas orientadas a la consecución de esos objetivos. Deberá escribir los objetivos en el diario de forma esclarecedora para el niño o niña.
5. En el apartado dedicado a los comentarios del docente, deberá anotar los resultados, objetivos y criterios que se cumplen a través de la actividad realizada.

6 Por último, el maestro registrará cualquier aspecto que precise de seguimiento: maneras de implicar a las familias, a los compañeros de otras clases y los recursos que necesitará.

Un paso más

El educador debe revisar los diarios de aprendizaje de forma regular y buscar en esa revisión nuevas oportunidades de integrar los intereses y experiencias en las actividades de los grupos pequeños o del grupo-clase.

Por ejemplo, puede que dos o tres niños cuenten que han visitado una feria de coches y están motivados para hacer juntos su proyecto sobre los coches. Puede que el educador haya leído en voz alta el mismo libro que una niña tiene en casa; en ese caso, antes o después de la lectura, puede invitar a la niña a que lo explique al resto de la clase.

Implicar a las familias

Cuando los niños cuentan las experiencias realizadas en casa, durante los fines de semana o las vacaciones, en las conversaciones sobre los diarios o en cualquier otro momento en el aula, es importante transmitir a los padres el interés que manifiestan acerca de las actividades de aprendizaje que tienen lugar en casa. El educador deberá dedicar tiempo para escribir una nota a los padres que llevarán los niños a casa. (Escribirá la nota de forma que los alumnos que se estén iniciando en la lectura puedan leerla.)

El diario de aprendizaje puede convertirse en un diario de aprendizaje familiar. Para ello, el maestro animará a los niños a llevar sus diarios a casa y a compartirlos con los miembros de su familia.

Al mismo tiempo, pedirá a los padres que escriban sus propias anotaciones, como qué han hecho sus hijos hoy o los proyectos familiares especiales. Nadine Harding introdujo los «diarios familiares» como forma de comunicación a tres bandas e invitó a los progenitores a tomar notas sobre las actividades de lectura de sus hijos e hijas en casa (Harding, 1996). Algunos padres y madres aprovecharon la oportunidad para mantener correspondencia con los profesores de sus hijos, pero no todos lo hicieron. La reflexión de la autora en un artículo posterior en la revista *Young Children* fue que «había aprendido que siempre era necesario buscar nuevas maneras de llegar a todas las familias».

Fase 5. Mantener entrevistas

La entrevista es una variante de la conversación sobre el diario de aprendizaje. Es una técnica que *permite comprobar en mayor profundidad el conocimiento de un alumno o alumna en un ámbito determinado.* De este modo, el educador puede conocer mejor lo que cada niño ha aprendido, cuáles son sus conocimientos más importantes y, como consecuencia de lo anterior, cómo enseñarle de forma más eficaz en el futuro.

Una vez se haya establecido una rutina para las conversaciones sobre los diarios de aprendizaje, y los niños y niñas estén cómodos a la hora de comentar lo que han aprendido, es posible comenzar a mantener conversaciones más largas de manera ocasional. En lugar de responder a las preguntas de los alumnos, el maestro puede hacer preguntas sobre un tema determinado.

Para preparar este paso, deben tenerse en cuenta las habilidades o conceptos que pretenden evaluarse. Puede que haya habilidades que no sean susceptibles de una evaluación a través de pruebas tradicionales y, en cambio, a través de las entrevistas se puede evaluar mejor la comprensión de un concepto determinado. También se puede dar el caso de que el maestro haya notado que las muestras de trabajo y las fotografías no sean un recurso eficaz para evaluar el dominio del alumnado en un área de conocimiento determinada y opte por planificar entrevistas durante algunas semanas con el niño para probar y refinar esta técnica de evaluación.

La entrevista es una técnica que exige práctica. Las preguntas que se hagan en este momento pueden ser muy simples comparadas con las que se harán en cursos posteriores. Con el tiempo, los objetivos de aprendizaje, e incluso la acción investigadora, llevarán al docente a hacer preguntas cada vez más profundas. Hasta entonces, debe darse tiempo. Incluso si los primeros intentos no proporcionan información para la evaluación, la entrevista constituirá una oportunidad para mantener una atención más individualizada.

Tras experimentar con las entrevistas, puede que se quiera incorporar esta técnica de evaluación en una unidad de estudio de forma más sistemática. Siempre debe pensarse en el modo de aplicar esta técnica en el currículo del centro educativo.

Claves para que las entrevistas sean provechosas

Afortunadamente, la mayoría de los niños y niñas disfrutan hablando de sí mismos y de su trabajo, incluso cuando creen que no lo están haciendo bien. Las claves siguientes pueden ayudar a obtener información sobre lo que han aprendido los alumnos:

1 El educador o educadora planificará una entrevista para evaluar el dominio de una habilidad específica de un alumno o su conocimiento de un concepto o tema, como por ejemplo contar un cuento que conozca con un nuevo final. El docente deberá hacer una lista que le servirá de guía durante la entrevista. Ejemplos:
   - ¿Ha mirado el libro de dibujos antes de contar su versión?
   - ¿Ha dibujado las ilustraciones antes o después de dictar su versión?
   - ¿Tiene otras ideas para la historia?

2 Es importante encontrar modos de «romper el hielo» en las entrevistas. Será recomendable comenzar la entrevista con algo que le interese mucho y dejar que hable. Se tomarán notas de sus comentarios, incluso cuando no constituyan en sí el objetivo de la entrevista, para que el niño se sienta cómodo. Por ejemplo, el maestro puede mencionar que lo ha visto en el parque y preguntarle si le gusta ir allí.

3 Reformulará las preguntas en caso de que el niño no las entienda para asegurarse de que no conoce la respuesta. Por ejemplo, será mejor preguntar: «¿De dónde sacaste la idea para este final?» que «¿Sacaste la idea para este final de un libro de la biblioteca?».

4 Es muy importante demostrar interés en lo que el niño explica. Deberá sentarse a su altura y mirarlo a los ojos. Afirmará con la cabeza y usará expresiones como: «Eso es interesante» o «Me sorprende que sepas eso».

5 Deberá combinar las preguntas cerradas con las preguntas abiertas. Si el niño o niña duda en una pregunta abierta, deberá hacer una pregunta cerrada. El alumno no debe sentir que lo hace mal en ningún momento. Por ejemplo, si el niño parece perturbado ante la pregunta de cómo se le ocurrió su historia puede preguntar: «¿Qué pensaste primero en los dragones voladores o en el muchacho?».

6 Si se desvía del tema, debe reconducir la entrevista de forma amable y aprovechar un momento en el que el niño no haga una afirmación relevante. No debe interrumpir o reprender a los niños por cambiar de tema. Por ejemplo: «Me interesa mucho saber cómo se te ocurrió la historia de los dragones. ¿Puedes contarme algo más sobre ello?».

7 Tomará notas precisas y legibles sobre las preguntas y las respuestas del alumno.

8 Tomar notas de forma rápida es vital. Una buena entrevista puede pararse en exceso si el educador repite frases como: «Espera que tengo que escribir lo que has dicho». Si no es rápido con el lápiz, puede usar una grabadora. A medida que aumente su capacidad para tomar notas necesitará menos la grabadora.

9 Al escribir, es importante no tergiversar el sentido de las palabras de los niños. Ante cualquier duda habrá que perdirles que aclaren sus afirmaciones con frases como: «Quiero estar seguro de que te he entendido, ¿puedes repetir lo que has dicho otra vez?». Si todavía no consigue entenderlo se puede emplear una pregunta del tipo: «¿Quieres decir que...?».

10 El docente debe prestar atención siempre a lo inesperado. Puede que una afirmación sorprendente sea la información más valiosa de la entrevista.

Claves para tomar notas

La entrevista es la primera estrategia del proceso de creación de portafolios estructurado en diez fases que implica una amplia labor de toma de notas. Puede que el educador haya desarrollado ya su propia forma de taquigrafía para escribir. Si no lo ha hecho, éste es el momento. Con el tiempo, aprenderá a establecer prioridades y a tomar menos notas. En todo caso es importante:

- Poner la fecha al principio de las notas.
- Tomar notas sobre el entorno.
- Concentrarse en anotar los comentarios importantes de los niños.
- Tomar notas sobre las impresiones que tenía durante la entrevista, tales como «Inés estaba inquieta» o «David parecía disfrutar con la oportunidad de hablar». Se usarán paréntesis para distinguir sus percepciones de hechos como «David se ha dejado puestos los guantes». Las frases serán simples. Es mejor el lenguaje claro que el lenguaje florido.

Si las entrevistas no se graban en audio, las notas deberán trasladarse a un registro completo y sistemático antes de olvidar los detalles que dan sentido a buena parte de ellas. El maestro escribirá también sus percepciones y opiniones en un apartado denominado «Comentarios».

Grabar cintas de audio

Aunque no pueden emplearse en todas las entrevistas, no deja de ser una opción valiosa. Las anotaciones escritas, las transcripciones y las cintas de vídeo de las entrevistas pueden archivarse en los portafolios. (Véase en la página 187 la información sobre las cintas.)

Antes de grabar una entrevista, es necesario probar durante unos minutos la grabadora para conocer bien su uso. Cuando ya esté preparado para grabar la entrevista, el docente etiquetará las cintas con el nombre de cada niño. Las cintas deben estar a su alcance siempre, pero no al alcance de los niños, salvo que tengan la edad suficiente para manejarlas con cuidado.

Después de la grabación, anotará en la tapa de la cinta la fecha y una o dos palabras clave que describa la naturaleza de la grabación. No deberán rebobinarse las cintas, sino que se guardarán en sus cajas tal y como estén, de forma que el nuevo material se añada al anterior. También puede escribir un comentario adicional para incluirlo en el portafolio privado de los alumnos.

Al transcribir las entrevistas grabadas en las cintas, no es necesario incluir las onomatopeyas dubitativas, como «¡um!» o «¡ah!», que el alumno diga. Éstas deben evitarse para conseguir una transcripción legible. Por otro lado, puede que sea adecuado conservar los errores gramaticales o las palabras concretas que el niño o niña emplee para tener un registro preciso de las habilidades verbales en el momento de la entrevista.

Nota: el docente deberá plantearse cómo quiere evaluar y si esta fase de los portafolios encaja en sus objetivos de evaluación. Además, revisará el resto de fases de este proceso, porque puede que alguna de las estrategias expuestas en ellas sirva mejor a sus propósitos.

Una maestra quiere evaluar la competencia de Nicolás para planear y llevar a cabo una investigación sencilla, uno de los objetivos del currículo de primaria de su comunidad. Ha observado al alumno en el rincón de ciencias durante varios días, pero no tiene pruebas de que pueda plantearse cuestiones científicas y responderlas. Por ello, decide intentarlo con una entrevista.

La maestra pide a Nicolás que se reúna con ella en el rincón de ciencias y le dice: «Me preguntaba si estás buscando algo aquí. ¿Se te ocurre como podríamos averiguar el nombre de esta concha?».

Nicolás responde que pueden buscar en un libro sobre conchas dibujos que se parezcan a ésa. Tras encontrar varios dibujos que se parecen a la concha del rincón, la maestra le pregunta cuál puede ser el siguiente paso. Entonces, Nicolás comenta que algunas de las conchas de los dibujos pertenecen al océano Pacífico, mientras que sólo una pertenece al Golfo de México. Una etiqueta sobre la concha de la clase dice que viene de Texas, por lo que, tras consultar un mapa, el alumno es capaz de averiguar que la concha procede del Golfo de México.

La maestra felicita a Nicolás por el éxito de su investigación y luego hace unas anotaciones sistemáticas sobre su actividad. Durante un período de revisión, la maestra identifica los objetivos de conocimiento del medio que se corresponden con la actividad de Nicolás y añade una anotación en ese sentido en sus notas previas.

Para empezar a mantener entrevistas con los alumnos y alumnas

1. Debe entrevistarse a más de un niño o niña acerca del mismo tema.
2. Debe preverse la hora y el lugar para la entrevista, sobre todo para evitar interrupciones o molestias para el docente o los alumnos. Debe disponerse siempre de más tiempo del necesario. La experiencia que se haya adquirido con las conversaciones sobre los diarios de aprendizaje debería servir de guía en este sentido. Las habilidades de cada niño a la hora de afrontar una entrevista serán distintas. Así, puede que ésta no sea una técnica adecuada para determinados alumnos. (Una de las ventajas fundamentales de la evaluación basada en portafolios es que proporciona una variedad de estrategias de evaluación que permite ajustarse siempre a las necesidades de los niños, de forma que no sea imprescindible mantener una entrevista con alguno de ellos.)
3. El maestro debe anunciar al niño con cierta antelación que quiere hablar del tema con él. Puede emplear una frase como: «Me gustaría que me explicaras...». Además, debe pedir al niño que traiga todo el material que tenga relacionado con el tema.
4. El maestro debe revisar los portafolios en busca de información y de temas que serán de gran ayuda para «romper el hielo».
5. Poco antes de la entrevista, el docente debe recordar al alumno que coja su portafolio y reúna el material necesario para la entrevista.
6. Debe explicarle, además, que grabará sus comentarios o tomará notas. Para ello, mostrará el cuaderno con la fecha y los nombres, tanto el suyo como el del niño.
7. Finalmente, se mantendrá la entrevista.
8. Tras concluir la entrevista, el maestro ayudará al alumno a escribir en su diario o le mostrará cómo escribir las reflexiones sobre el tema.
9. Después, revisará las notas. Debe pensar si la entrevista proporcionó la información necesaria y si los temas empleados para romper el hielo fueron adecuados para encauzar la conversación. (Puede que el pequeño José le haya comentado que ha conseguido hacer una nueva pirueta con los patines en línea. ¿Eso podría ser un tema para un texto?)
10. A continuación, transcribirá la entrevista si ha usado una grabadora. Luego la resumirá en anotaciones sistemáticas y anotará los resultados y objetivos conseguidos o los aspectos que precisen de mayor dedicación en el apar-

tado de comentarios de las anotaciones sistemáticas. Finalmente archivará la transcripción y las anotaciones en el portafolio del niño.

11 Por último, guardará la cinta en su envoltorio.

Un paso más

Una vez se haya puesto en marcha el proceso de entrevistas personales, el maestro puede utilizar también la grabación en los debates realizados por toda la clase. Escuchar estos debates, le permitirá conocer las opiniones y analizar los errores de comprensión de los alumnos que no podría notar a primera vista.

Una entrevista grabada puede ser una buena forma de poner punto y final a un proyecto iniciado por el propio alumno. Si el proyecto se ha realizado en grupo, es posible grabar una entrevista de grupo. Las notas o la transcripción de la entrevista podrían ser un buen punto de partida para realizar un informe oral o escrito o una presentación por parte del grupo. Puede que responder a las preguntas de la entrevista relaje a los niños para realizar una presentación ante sus compañeros.

Además, el profesor puede grabar otro tipo de acontecimientos del aula: niños o niñas cantando, lecturas en voz alta o el debate sobre un experimento de ciencias. Para ello, usará las cintas individuales de cada alumno y anotará en ellas la fecha y el tipo de intervención antes de comenzar a grabar. Luego, escribirá este tipo de registros en la caja de la cinta, del mismo modo que se registran las conversaciones oficiales.

Nota: después de dominar esta técnica en el aula, el docente deberá plantearse si las conversaciones sobre los diarios y las entrevistas periódicas son necesarias para todos los alumnos. Así, puede que uno de los métodos sea suficiente para realizar el seguimiento de algunos niños o puede que, en otros casos, deban combinarse las dos técnicas a la hora de evaluar. Ambas técnicas deberán, por tanto, emplearse de tal modo que se adapten a cada niño, bien combinándolas, mezclándolas o ampliándolas según el destinatario de la evaluación.

Implicar a las familias

Los padres y madres disfrutan escuchando las cintas en las que aparecen sus hijos e hijas, por lo que es posible emplear éstas para involucrar más a las familias.

Así, pueden ponerse los últimos fragmentos de una grabación cuando se mantengan reuniones con los padres y animar a los niños a que explicar lo que estaban haciendo cuando se grabaron las cintas.

Es posible también hacer llegar las cintas a los padres y madres cuando finaliza la jornada escolar o abandonen la escuela o cuando acabe el curso.

También deben fomentarse las grabaciones de acontecimientos familiares, si se dispone de los medios para ello. Por ejemplo:

- La conversación alrededor de la mesa en una reunión familiar.
- Los niños o niñas cantando sus canciones preferidas, recitando poemas, contando historias o actuando con los diálogos de sus películas favoritas.

Utilizar la grabadora es una buena manera de comunicarse con los padres, especialmente con aquellas familias con alguna discapacidad, ya sea física (invidentes) o cultural (analfabetos).

El maestro puede grabar una explicación más pormenorizada de las muestras de trabajo para enviar a los padres y acompañar el material y la cinta con una grabadora. (En ese caso, el niño o niña deberá conocer el funcionamiento de la máquina para poder compartir sus nuevas habilidades con su familia. El docente puede enseñarle cómo hacerlo.)

Fase 6. Hacer anotaciones sistemáticas

Preparación

En el proceso de creación de portafolios en diez fases, las anotaciones sistemáticas son *notas planificadas por el docente sobre las acciones de un alumno o alumna en una situación determinada*. Éstas son una derivación bastante natural de los diarios de aprendizaje porque el maestro puede observar y anotar las actividades que planifica con el niño o niña durante las conversaciones sobre los diarios.

Por ejemplo, si se establece en el centro el objetivo de potenciar el aprendizaje científico y se programan una serie de experimentos concretos en el rincón de ciencias, puede que sea interesante tomar nota de las respuestas del alumnado. Si a través de estos registros se descubre que los niños no saben emplear el microscopio de forma adecuada, puede que sea necesario hacer una demostración sobre su uso en pequeños grupos.

El educador o educadora, a lo largo de este proceso, ya ha tenido la oportunidad de escribir comentarios y anotaciones sobre las opiniones de los niños y niñas durante las conversaciones, en este momento se encuentra preparado para poder llevar a cabo la tarea de hacer anotaciones sistemáticas.

Al igual que las anotaciones escritas, las anotaciones sobre las observaciones sistemáticas son más estimulantes para el educador que los comentarios breves acerca de las muestras de trabajo, las fotografías y los diarios de aprendizaje, o incluso las notas sobre las conversaciones. Es aconsejable, en todo caso, revisar los comentarios generales acerca de las anotaciones escritas expuestos en el capítulo 4 (páginas 79 a 88).

Cómo formular las preguntas

Es muy importante formular las preguntas de forma clara de manera que puedan responderse a través de la observación sistemática. Por ello, deben ser preguntas específicas. El uso de este tipo de anotaciones para averiguar cómo está evolucionando un alumno en un determinado aspecto puede ser cuanto menos frustrante, si no se tiene muy claro qué se quiere observar. Esta pregunta se descompone en otras muchas, por ejemplo si el alumno es capaz de buscar información, si presta atención a las demostraciones o si pide ayuda a sus compañeros o si siempre trata de resolver los problemas por sí mismo. Cuanto más específica sea la pregunta, mayores son las posibilidades de encontrar las respuestas que se buscan.

Evitar los prejuicios

Otro de los desafíos para mantener un registro sistemático y anotaciones anecdóticas es evitar los prejuicios. *La diferencia entre el lenguaje descriptivo y el lenguaje valorativo es fundamental.* El educador o educadora debe describir sólo lo que vea y no lo que espera o desea ver.

También es importante separar los hechos de los comentarios particulares. Para hacerlo, el maestro puede practicar la toma de notas junto a un compañero o compañera de portafolios. Ambos docentes pueden escribir sobre determinadas situaciones y comparar y discutir las discrepancias de sus observaciones. Este ejercicio ayudará a ambos a pulir sus habilidades para la toma de notas objetivas. Esta práctica debe mantenerse hasta que los docentes coincidan en la mayor parte de las observaciones, siempre salvaguardando su confidencialidad.

Por supuesto, la observación y registro de determinadas situaciones está sometida a criterios de parcialidad, porque las anotaciones que se realicen destacarán más en algunos aspectos del comportamiento de los niños y niñas e ignorarán otros. El empleo de distintas estrategias garantiza la evaluación y el control de un mayor número de aspectos del desarrollo de los niños y niñas.

Debe practicarse primero

Es conveniente que el profesorado adquiera práctica en el registro de observaciones sistemáticas, debe explicar a los niños y niñas que va a tomar notas para que no se incomoden con esta situación. La práctica ayudará al docente a reconocer qué tipo de comportamiento puede evaluar a partir de la observación sistemática.

Cuestiones de intimidad

Antes de emplear la observación sistemática como parte de la evaluación basada en portafolios, deben comentarse con la dirección del centro las cuestiones de este tipo. Es aconsejable contar con la autorización del padre y la madre siempre que sea posible antes de realizar las observaciones, e incluso informar al alumno. Por ejemplo, si el educador pretende observar cómo un alumno pide ayuda al resto de sus compañeros para hacer los ejercicios de matemáticas puede decirle: «Quiero observar un poco más tu trabajo con las matemáticas, así que te miraré y tomaré notas. Cuando haya acabado, te mostraré lo que haya escrito».

Una vez haya definido al sujeto y el comportamiento que será objeto de la observación, es recomendable prolongar la observación durante tres días seguidos para asegurarse de que el comportamiento sea genuino y normal.

Después de realizar esto, es básico evaluar si la estrategia proporciona la información que se pretendía obtener. Si no puede extraer conclusiones claras de las pruebas recogidas a través de la observación sistemática, el docente puede recurrir a alguna técnica adicional, como una entrevista o una actividad, que sirva para confirmar sus interpretaciones de las notas.

Claves para la realización de las anotaciones sistemáticas

La toma de apuntes para las anotaciones sistemáticas es similar a la toma de notas que se realiza en las entrevistas (fase 5). A continuación, se proporcionan otras claves adicionales:

- Deben observarse las acciones de los niños y niñas y concentrarse en registrarlas. El docente no debe especular sobre las motivaciones o las intenciones.
- Se anotará la hora en distintos momentos de la observación.
- Los acontecimientos se registrarán en la secuencia correcta.
- Se describirán los detalles importantes del contexto en el que se desarrolla la escena; por ejemplo, si el niño trabaja en un lugar concurrido, el am-

biente de la habitación, si es cálido o frío, si su mejor amigo se sienta a su lado. Con la práctica, el educador tendrá mayor facilidad para reconocer los factores relevantes y para tomar notas sobre ellos con mayor rapidez. Por ejemplo, la ausencia del compañero de clase que sea el mejor amigo del alumno puede resultar importante, no así, por el contrario, el color de la camisa que lleva puesta.

- A continuación, se resumirán los apuntes en forma de anotaciones sistemáticas. Los textos deben ser breves y precisos. No deben escribirse anotaciones del tipo «María estaba malhumorada en clase». Por el contrario, el estilo deberá ser: «María sonreía y hablaba con sus compañeros cuando llegó a la escuela. Treinta segundos después, pegó a David cuando éste se negó a darle un juguete».

No es aconsejable emplear una grabadora para registrar las observaciones sistemáticas. Por el contrario, resultará más enriquecedor su uso a la hora de realizar observaciones espontáneas y anecdóticas (fase 7), porque esa técnica se basa en el registro de las reacciones espontáneas de los niños y niñas ante los acontecimientos en el momento en el que ocurren. Sin embargo, grabar las anotaciones podría resultar perjudicial en la observación sistemática, ya que el educador intenta observar al alumno en su comportamiento cotidiano, sin alterarlo.

Nota: el docente deberá plantearse cómo quiere evaluar y si esta fase de los portafolios encaja en sus objetivos de evaluación. Además, revisará el resto de fases de este proceso, porque puede que alguna de las estrategias expuestas en ellas sirva mejor a sus propósitos.

Ejemplo de observación sistemática

Jaime. 11 de marzo

La clase de segundo de primaria revisa los deberes: un comentario sobre una lectura elemental. Jaime está ocupado borrando y escribiendo un nuevo comentario, pero se ofrece voluntario de inmediato cuando le pide que lea sus respuestas a las preguntas del cuestionario.

La maestra pide a distintos niños que lean en voz alta un párrafo de la historia. Jaime parece no estar atento, pero lee de forma inmediata cuando se le pide. Lee con un tono monótono, sin respetar la puntuación, con menos expresividad que la mayor parte de los lectores. Se atranca en algunas palabras como «proclamación», «cuestión» y «cualquiera».

Jaime pasa la página del libro al mismo tiempo que los demás. En la segunda lectura, sólo se atranca en «abrazado». No se para ni respeta la puntuación.

Se hacen preguntas sobre la historia. Jaime levanta la mano con entusiasmo para responder a las preguntas fáciles. Cuando se le pregunta, sus respuestas son largas y elaboradas, aunque duda en varias ocasiones. Se vuelve y se muestra inquieto cuando la maestra pide que se propongan anuncios imaginarios para el libro. Cuando se le pide que participe dice: «Yo usaría el libro, como mi compañera» (y señala a una niña).

Jaime. 12 de marzo

Los niños construyen circuitos para iluminar una bombilla siguiendo las instrucciones de la maestra. Jaime participa en un grupo pequeño y no se ofrece voluntario para responder a las preguntas que se formulan.

Jaime. 13 de marzo

La maestra pide a los niños que revisen los circuitos de la actividad del día anterior. Jaime levanta la mano y responde con claridad y de forma correcta.

Después, la maestra pide a varios niños y niñas que lean en voz alta un libro corto sobre electricidad y luz. Jaime lee de forma monótona, sin pararse en la puntuación. Duda en «rebotar» y en «fuera». En la segunda lectura, sigue sin mostrar expresividad. Se atranca en «otro», «rebotar» y «fuera».

Comentarios

La madre de Jaime me pidió información sobre su capacidad para leer en voz alta. Después de tres días de observaciones sistemáticas, he observado que Jaime comprende el contenido de un texto de ficción o científico-técnico y es capaz de discutir acerca del material de lectura en las sesiones de preguntas y respuestas. Sus respuestas están salpicadas por expresiones de duda como «¡um!» y lee en voz alta con cierta dificultad. En mi opinión, la habilidad verbal de Jaime no demuestra un profundo dominio de los conceptos y la información.

Para empezar a hacer anotaciones sistemáticas

1. Cuando decida hacer anotaciones sistemáticas sobre una alumna o alumno, el maestro solicitará la autorización a su padre o madre, si fuera necesario.
2. A continuación, fijará un horario para hacer las observaciones y anotará en su agenda el calendario.

3 El maestro pedirá a un compañero que realice sus tareas habituales, mientras realiza las observaciones.
4 Informará al niño de que va a tomar notas en un momento determinado.
5 A continuación, realizará las observaciones y tomará notas sobre las acciones del alumno o alumna. Éstas deben centrarse en las descripciones y no reflejarán las opiniones del docente.
6 Después de cada observación, el maestro revisará cómo describió las circunstancias que se relacionaban con el acontecimiento y añadirá los detalles que pueda recordar. Si ha pasado por alto detalles importantes, fijará una nueva observación para recabar los datos que necesite.
7 Luego resumirá las observaciones sistemáticas en forma de anotaciones sistemáticas. (Véase el modelo adjunto y en la página 183 del apéndice una muestra más fácil de reproducir). En ellas, deben incluirse la fecha y las razones por las que se están realizando las observaciones. Asimismo, deberá hacerse referencia a cualquier otro elemento del portafolio que tenga relación con el objeto de las anotaciones.
8 Las observaciones se comentarán con el alumno en las conversaciones sobre el diario de aprendizaje o el portafolio, si se considera adecuado. Debe alentársele a que opine sobre sus observaciones por escrito o dictado. Los comentarios se fecharán y se adjuntarán a las anotaciones sistemáticas.
9 Pueden fijarse evaluaciones adicionales, como entrevistas o recopilación de muestras de trabajo para complementar las observaciones sistemáticas.

Anotaciones sistemáticas

Nombre .... Fecha ....

Maestro/a: .... Período: de ...... a ....

Observación autorizada por: ....

Actividad o comportamiento:
....
....

Entorno:
....
....

Detalles:
....
....

Motivo de la observación:
....
....

Comentarios:
....
....

Un paso más

Cuando las observaciones sistemáticas se hayan convertido en un hábito en el entorno del centro, puede que el maestro quiera ampliar las anotaciones mediante comentarios separados, reflexiones u hojas de seguimiento.

Las observaciones sistemáticas pueden llegar a ser un elemento importante del currículo infantil. Cuando el maestro consiga tomar notas con rapidez, podrá involucrar a los alumnos en el proceso. En el caso de los niños y niñas de educación infantil, pueden surgir hechos interesantes sobre los que hacer las anotaciones. En el caso de los alumnos de primaria, es posible que éstos realicen sus propias anotaciones sobre las actividades educativas, sobre el recreo, el comedor o las salidas.

Implicar a las familias

Por razones éticas, es importante determinar si se está invadiendo la intimidad de los niños cuando se realizan observaciones sistemáticas. Para evitarlo, lo más sencillo es pedir permiso al alumno y a sus padres. Quizás parezca un paso innecesario, o incluso una pérdida de tiempo, pero comporta dos beneficios fundamentales: en primer lugar, implica a los padres y madres en la evaluación que se está realizando; en segundo lugar, evita posibles quejas posteriores.

Cuando decida que es útil observar las acciones de un niño o niña en una situación concreta, el maestro escribirá a los padres y madres una nota clara sobre sus planes. Es aconsejable invitarles a que aporten sus opiniones durante la preparación de las observaciones sistemáticas de sus hijos. A continuación, se propone un ejemplo de nota a los padres y madres:

Apreciados Sr. y Sra. López:

He notado que Pedro casi nunca acaba sus tareas a tiempo. Me gustaría observarlo durante el tiempo dedicado a las tareas para poder averiguar cuáles son sus dificultades. Por favor, les agradecería que me devolvieran esta nota el lunes y que indicaran en ella si tienen alguna objeción al respecto.

Las observaciones que ustedes lleven a cabo sobre las actividades de Pedro en casa también pueden resultar de gran ayuda. Por ejemplo, sería importante observar si acaba sus tareas (como recoger su ropa o escribir una nota de agradecimiento) de forma adecuada o si tiene problemas.

Por favor, no duden en ponerse en contacto conmigo mediante una nota o por teléfono para comentar su opinión sobre los problemas de Pedro en clase.

Gracias.

Fase 7. Hacer anotaciones anecdóticas

Preparación

Hacer anotaciones anecdóticas implica *reconocer los hechos relevantes que se dan en el desarrollo infantil y describirlos de forma clara y sencilla*. En esta fase, la función del educador es parecida a la de un «reportero», que debe estar siempre alerta ante la noticia, comprobar las fuentes relevantes y observar las actividades que ocurren a su alrededor, en este caso en el centro educativo.

Mantener un registro de anotaciones anecdóticas requiere un conocimiento activo del desarrollo infantil y de los objetivos del programa educativo. Además, exige desarrollar la habilidad de observar y saber registrar las situaciones.

Una vez se dominen las seis primeras fases del proceso de creación de portafolios estructurado en diez fases, la fase que nos ocupa será sencilla, pues ya se tendrán las habilidades necesarias para realizarla. Al aplicar varias estrategias derivadas de los portafolios a los distintos aspectos del crecimiento y desarrollo infantil, el docente habrá aprendido a observar a los niños y niñas de forma integral. Del mismo modo, las conversaciones regulares sobre los diarios de aprendizaje con cada alumno le habrán ayudado a adquirir un conocimiento más profundo sobre sus intereses, necesidades y habilidades. El hecho de escribir pies o comentarios para las muestras de trabajo y las fotografías, comentarios sobre las anotaciones de los diarios, resúmenes de diálogos y anotaciones sistemáticas habrá permitido al docente pulir sus habilidades como escritor y superar cualquier miedo que pudiera tener al respecto. Incluso puede que haya desarrollado su propia taquigrafía.

A partir de este momento, lo único que debe hacer el maestro es ponerse la «gorra de reportero» y llevar siempre lápiz y papel. Cuando observe las actividades del grupo-clase y participe en ellas, tomará notas de todo aquello que considere importante. También puede revisar de forma regular las nuevas habilidades y los conceptos que se hayan introducido en las actividades escolares, como práctica previa orientada a refrescar la técnica de detección de hechos relevantes.

Como alternativa, es posible grabar las anotaciones en una cinta. Las grabadoras son particularmente adecuadas para este tipo de anotaciones, porque la naturaleza improvisada de los acontecimientos a los que se refiere la técnica implica la imposibilidad de centrarse en las actividades de fondo. Por ello, es práctico llevar siempre consigo la grabadora y transcribir cada día las notas en los modelos de anotaciones anecdóticas.

Otros aspectos que deben tenerse en cuenta a la hora de realizar este tipo de anotaciones son:

- Deben limitarse a un solo hecho.
- Las notas deben completarse lo antes posible.
- Sólo deben recoger hechos.
- Los comentarios adicionales pueden recogerse en un apartado específico de los modelos.
- En este mismo apartado, debe aludirse a otras fuentes de información como las muestras de trabajo o las fotografías.

No es aconsejable planificar el número de anotaciones anecdóticas que se tomarán sobre un alumno. Esto puede convertir esta rica estrategia en una carga de trabajo excesiva. Por el contrario, el docente debe concentrar su atención en observar a los niños en diferentes situaciones y tomar notas sobre ellos. Si con el tiempo percibe que las anotaciones se dedican siempre a un grupo determinado o a las mismas situaciones, deberá prestar más atención al resto de niños y hechos. (Estas observaciones derivarán en anotaciones sistemáticas como consecuencia de la planificación realizada de las mismas). El número de anotaciones variará, en función de los cambios en el currículo y el ritmo de la clase, de una o dos diarias hasta llegar a cinco o seis. Si la técnica resulta tan productiva como debería, el número aumentará de forma considerable con el tiempo.

Para empezar a hacer anotaciones anecdóticas

1. Deben escribirse las observaciones cuando ocurran los hechos, de forma que sean precisas.
2. Debe anotarse el nombre del niño o niña, la fecha y los detalles de la situación.
3. Al anotar las acciones se emplearán proposiciones, no frases completas. Siempre que sea posible se usarán abreviaturas. La base de las anotaciones debe ser la descripción de los hechos.
4. Como parte de la planificación diaria, el maestro revisará las notas del día anterior para decidir qué anotaciones deben archivarse. El registro se realizará mediante los modelos en los que el docente añadirá sus comentarios, si es que los tiene. (Véanse la muestra adjunta y el modelo que se proporciona en el anexo, página 184.)

5 Las observaciones se comentarán con el niño en las conversaciones sobre el diario de aprendizaje o el portafolio, si se considera adecuado. Se le debe alentar a que opine sobre las observaciones por escrito o dictado. Estos comentarios se fecharán y se adjuntarán a las anotaciones anecdóticas.

Anotaciones anecdóticas

Nombre: Anika

Fecha: 18/2/1997

Acontecimiento:
La alumna se chupó el dedo, se cruzó de brazos, apoyó la cabeza sobre ellos y se negó a participar

Entorno:
Lectura de grupo

Detalles:
Pedí a Ana que leyera en voz alta dos veces y se negó a hacerlo, mientras se chupaba el dedo.

Comentarios:
Es la 1ª vez que observo que se chupa el dedo. Debe evaluarse la lectura

Registro: E75

Entrevista personal

Ana se chupó el dedo, se cruzó de brazos y se apoyó sobre ellos cuando le pedí que comentara la lectura.

E7

Un paso más

Las anotaciones anecdóticas son un recurso excepcional para reflejar y explicar las peculiaridades del día a día en el aula. Por ello, es posible utilizarlas para ilustrar las cartas a los padres y madres o para incluir en artículos de la revista escolar. Se puede comenzar citando las anotaciones anecdóticas (cambiando el nombre del alumno o alumna si se considera adecuado) para, a continuación, explicar el significado y la importancia del hecho para los objetivos y el desarrollo infantil.

Implicar a las familias

Los padres y madres suelen agradecer las noticias sobre las actividades de sus hijos en la escuela. No es necesario emplear las anotaciones para las entrevistas

Modelo para remitir noticias a los padres y madres

Nombre .... Fecha ....

He observado el siguiente hecho durante el día de hoy y he creído que les gustaría saberlo:

....
Maestro/a:

La observación constituye una parte importante de nuestro sistema. Aprendemos más del crecimiento y desarrollo de los niños y niñas con la observación regular. Comentaremos otros aspectos y detalles de los progresos de su hijo o hija durante la próxima entrevista. No obstante, pueden llamarme en cualquier momento si tienen dudas.

Les recuerdo nuestro interés acerca de las actividades que tengan lugar en casa. Por ello, les ruego que animen a su hijo o hija a compartir con el resto del grupo sus experiencias.

con los padres, pero pueden aprovecharse como una fuente rica de material para ilustrar las notas individuales sobre los progresos de sus hijos.

En el momento de revisar a diario las anotaciones para decidir cuáles deben archivarse, el maestro puede aprovechar para escribir una nota y enviarla a algunos padres, explicando los acontecimientos observados durante el día. Para ello, puede emplearse un cuaderno o el modelo que se adjunta en esta página o la que se recoge en el apéndice (página 185) .

En caso de que los padres y madres tengan un grado bajo de alfabetización o que no hayan respondido a los anteriores mensajes escritos, el docente deberá cambiar la estrategia y llamar por teléfono.

Es posible establecer como objetivo enviar una anotación anecdótica a un padre o madre cada día. No es aconsejable establecer una lista o un calendario en este sentido, pero se debe intentar mantener este tipo de práctica de manera que todos los padres y madres reciban notas o llamadas sobre las anotaciones.

Este tipo de comunicación es un buen preludio para las futuras entrevistas, como paso previo para tratar los temas más importantes en el desarrollo de sus hijos. Las noticias positivas demostrarán la actitud positiva del docente hacia los niños.

Fase 8. Escribir informes

Preparación

Si el educador ha conseguido dominar y adaptarse a las fases anteriores del proceso, habrá acumulado las habilidades y la información necesaria para realizar informes. Es muy posible que en este momento se piense que, tras recopilar muestras de trabajo, mantener conversaciones y entrevistas sobre los diarios y hacer anotaciones sistemáticas y anecdóticas, los informes sólo supondrán más papeleo y que serán sólo un refrito de lo que se ha hecho hasta ahora. Es cierto, el trabajo que se ha realizado es extraordinario. Los informes son, de hecho, un *resumen de las averiguaciones sobre el crecimiento y el desarrollo individual de un alumno o alumna durante un período concreto.* A continuación se exponen cuatro razones para abordar esta fase del proceso:

1. Los padres y madres valorarán un resumen sobre el desarrollo de sus hijos. Muchos de ellos, conservarán los informes durante años como muestra de ese maravilloso proceso de desarrollo.
2. Esta fase, sirve al maestro como preparación para la fase 9, la dedicada a las entrevistas a tres bandas, con los alumnos y los padres.
3. Escribir informes implica una revisión sistemática de los contenidos del portafolio y una valoración de las actividades de los alumnos de acuerdo con criterios y estándares externos.
4. Los informes simplifican el sistema global de evaluación. Cuando los niños y niñas cambien de curso o de maestro, la mayoría del material de los portafolios se enviará a las familias. El informe será entonces el núcleo del portafolio que se remitirá al nuevo profesor. Unas muestras claves de trabajo ilustrarán de modo suficiente los comentarios que, a título de resumen, se incluyan en el informe. Por tanto, la fase 8 sirve además de preparación para la fase 10: el empleo de los portafolios acumulativos.

Los contenidos de los portafolios, junto con el material confidencial y las notas individuales recogidas en el diario del profesor, si se conservan, serán las fuentes para elaborar el informe.

ESQUEMA PARA REALIZAR LOS INFORMES

- Resumen de los progresos del alumno desde el último informe (o desde la última entrevista con el padre o madre, o durante el curso escolar).
- Aspectos básicos del desarrollo:
    - Comunicación y lenguaje.
    - Matemáticas.
    - Resolución de problemas.
    - Creatividad.
    - Desarrollo socioafectivo.
    - Físico.
    - Lectura y escritura.
- Plan de acción.

Los informes no tienen que ser extensos (unos cuantos párrafos, de cuatro a ocho, pueden bastar), pero deberán ser profundos. Un esquema como el que se propone a continuación puede ayudar al docente a tocar todos los temas importantes. (Conviene tener en cuenta que se incluye una referencia al desarrollo socioafectivo, pero sólo como uno de los tres aspectos del desarrollo. Un error bastante extendido consiste en dedicar la mayor parte, e incluso todo el informe, al comportamiento de los niños. Debe recordarse que los padres también están interesados en los progresos académicos de sus hijos.)

Con la práctica se adquiere habilidad para preparar los informes. Un procesador de textos hará el trabajo más llevadero, aunque no es imprescindible. No obstante, al principio es aconsejable escalonar la preparación y el envío de estos informes. Por ejemplo, si el grupo está compuesto por veinticinco niños y se envían informes en diciembre, abril y junio, pueden enviarse seis informes cada semana de esos meses.

Para empezar a escribir los informes

1. Se debe fijar un horario.
2. Se realizará una revisión de los portafolios de los niños y se tomarán notas para cada apartado del informe. Parte del material sólo tendrá reflejo en uno de los apartados; otros, en cambio, abarcarán más.
3. Cada apartado del informe girará en torno a una idea clave. El docente numerará los comentarios sobre los contenidos de los portafolios que quiere emplear para argumentar las afirmaciones del informe.
4. Se debe reflexionar sobre si hay un esquema aparente. Para ello, se hará un borrador de estas observaciones para el resumen.
5. Luego escribirá los apartados y los revisará.
6. Revisará el informe completo para comprobar que no ha obviado ningún aspecto importante o si es necesario recurrirá a observaciones sistemáticas u otras técnicas para completar la información. También anotará los planes para la futura evaluación en el apartado del plan de acción.
7. Archivará una copia del informe en el portafolio del niño y enviará otra a los padres.

Informe

1 de abril. Laura (edad: cuatro años)
Este informe revisa la progresión de Laura en distintas áreas del currículo desde el 10 de enero. Las fuentes de información se citan entre paréntesis. La alumna está progresando en todos los aspectos y demuestra mucho interés en el trabajo con puzles, piezas de construcción y con el agua.

Aspectos claves del desarrollo

Comunicación y lenguaje
Laura continúa participando en las conversaciones que se mantienen en el aula con los compañeros. Construye frases que contienen dos o más ideas con detalles descriptivos. El 9 de febrero me dijo: «Señorita, voy a llevarme el muñeco y le pondré el vestido amarillo con flores azules. Luego, haré espaguetis con carne y salsa de tomate para cenar». (Anotación anecdótica del 9 de febrero.)

Desde el último informe, ha comenzado a usar el lenguaje expresivo en lugar de pegar a los compañeros o compañeras cuando se enfada con ellos. En varias ocasiones, durante los últimos dos meses, ha verbalizado que no le gustaba cómo trataban algunos niños sus puzles o sus libros, en lugar de pegarlos. Trabajamos para reforzar este comportamiento y alentarla a que use las palabras en lugar de la agresión. También ha recurrido a la ayuda de la maestra para resolver problemas cuando la conversación no daba el resultado que buscaba. (Anotaciones sistemáticas del 30 de enero, 9 de febrero, 10 de febrero y 10 de marzo.)

Sigue las instrucciones de la maestra sin dificultades, lo que demuestra receptividad lingüística. (Anotación sistemática del 10 de marzo.)

Matemáticas
Progresa igualmente en la agrupación de objetos de acuerdo con un criterio, pese a las diferencias que puedan existir entre ellos (fichas azules y osos azules). Comienza a usar palabras como *algunos, no* y *todos* de forma correcta, pero a veces confunde el uso de *algunos* y *todos*. Todavía muestra algún problema para ordenar objetos (del más alto al más bajo, por ejemplo), aunque comienza a introducir las comparaciones en sus conversaciones de forma correcta («Es más alto que yo»). Es capaz de contar hasta seis objetos.

(Conversación sobre el diario de aprendizaje del 20 de enero. Anotaciones sistemáticas del 9 y 10 de marzo. Entrevista del 11 de marzo.)

Resolución de problemas

Laura escoge cada día el rincón de actividad que desea. Cuando está en un rincón determinado, muestra preferencia por las actividades manuales: el dibujo, los puzles, las piezas de construcción y los juegos con agua. La persistencia en este aspecto se mantiene con respecto al último informe. Trata de construir los puzles, tanto en casa como en la escuela y no se rinde o se enfada cuando no acierta a la primera. (Listas de ocupación de los rincones. Conversación a tres bandas.)

Creatividad

Durante el período que abarca este informe, Laura ha demostrado habilidad para construir una casa con chimenea, escalones y puertas con las piezas de construcción. Ha hecho algunos dibujos que reflejan detalles como lazos del pelo, pendientes y pulseras en sus autorretratos. (Muestras de trabajo.)

Desarrollo socioafectivo

Hemos trabajado con Laura para conseguir que su interacción social con los demás niños y niñas sea adecuada. Ya considera a algunos de ellos como sus amigos y no suele quitar los juguetes o los juegos a los demás como hacía cuatro meses atrás. Está progresando a la hora de compartir y de respetar los turnos. Continuaremos el trabajo en esta línea orientado a relacionarse con los demás. (Anotaciones sistemáticas del 30 de enero, 9 y 10 de febrero y 10 de marzo.)

Físico

Continúan sus progresos en este ámbito. Suele responder al ritmo dando palmas. Ha mejorado mucho desde el último informe en el uso de rotuladores y lápices. Ello se percibe en el mayor detalle de sus dibujos. (Anotación anecdótica del 12 de febrero. Muestras de trabajo.)

Lectura y escritura

Laura sigue leyendo con la ayuda de dibujos y cuenta historias a partir de la interpretación de las ilustraciones que aparecen en los cuentos. Comienza a leer por la izquierda y normalmente responde a las preguntas que se hacen sobre la historia. Puede identificar las letras de su nombre y desde el último informe es capaz de reconocer cuatro de las seis letras de su apellido. (Conversación sobre el diario de aprendizaje del 3 de febrero).

Plan de acción

Continuaremos proporcionando una variedad de actividades de aprendizaje a Laura, entre ellas las manuales, que son sus favoritas, e incidiremos en aspectos sociales como la comunicación verbal o el compartir con los demás.

Además, nos aseguraremos de que el número de juguetes y libros que utilice no requiera compartir siempre.

Un paso más

El maestro puede ampliar los beneficios de la revisión sistemática de los portafolios implicando a otros colegas o profesionales de la educación. Para ello, pedirá que se le permita mostrar en una reunión del profesorado el portafolio de un alumno o alumna, y así explicará sus observaciones y conclusiones y cómo los materiales del portafolio las respaldan.

También es posible aplicar este proceso durante las sesiones de grupo para dedicar atención especial a determinados alumnos o alumnas.

Fase 9. Mantener entrevistas a tres bandas sobre los portafolios

Preparación

Permitir a los niños que participen en su propio desarrollo educativo y establecer sus objetivos es una parte esencial de la evaluación basada en portafolios. Por tanto, implicarlos en el uso de los portafolios es un punto de inflexión en la aplicación del proceso, la fase que hace que éstos sean algo más que una mera carpeta de trabajo.

A partir de esta fase, el aula deja de ser un sistema jerárquico en el que el educador toma todas las decisiones y pasa a ser una comunidad educativa en la que todos los sujetos piensan, programan y revisan su trabajo.

Por supuesto, hasta este momento los portafolios serán prácticamente un enigma para los niños y niñas. En una situación ideal ya deberían haber participado a la hora de seleccionar, etiquetar y archivar las muestras de trabajo. También habrán observado cómo el maestro o maestra hace anotaciones anecdóticas y saca fotografías de los acontecimientos que ocurren en el aula. Saben, por tanto, que ese material que se archiva se refiere con frecuencia a ellos. Además, habrán participado en las entrevistas y conversaciones sobre los diarios de aprendizaje, por lo que se sentirán cómodos en la reflexión conjunta sobre los portafolios.

Por ello, éste es el momento de involucrar a los niños y niñas y, en ocasiones, a los padres en la revisión de los portafolios completos y en la evaluación de sus progresos a lo largo de un período largo de tiempo.

Pese a que el maestro domine el proceso de creación y uso de los portafolios, esta fase se repetirá cada curso con grupos de niños distintos y sus familias.

Por este motivo se trata este momento como una fase independiente y casi como la última del proceso, para hacer hincapié en que los niños y niñas no pueden desarrollar de forma inmediata las habilidades y los hábitos mentales que les llevarán a reflexionar de forma seria sobre su propio aprendizaje, de la misma manera que no es posible modificar de forma repentina el sistema de evaluación. Esta fase no debería precipitarse.

Una vez que los alumnos y alumnas se hayan acostumbrado a examinar su propio trabajo y a hablar de él, puede ser el momento de animarlos a que piensen en la forma de mejorarlo. La autoevaluación debe basarse en criterios y pautas claras. Los criterios pueden ser externos (por ejemplo, los objetivos de matemáticas), pero establecer un criterio propio puede ayudar a convertir a los alumnos en responsables de su propio aprendizaje. Por ejemplo, puede que un alumno observe que ha escrito casi exclusivamente sobre fútbol durante los últimos meses. Quizá decida acumular todo su conocimiento sobre el tema para escribir una redacción más extensa, o tal vez decida que ha llegado el momento de aplicar sus conocimientos sobre los deportes al baloncesto. Son objetivos distintos, pero igualmente válidos. Cuando haya dictado o escrito su nuevo objetivo, lo haya fechado y lo haya añadido a su diario, tendrá una pauta clara para evaluar su trabajo posterior. Durante la siguiente conversación sobre el portafolio, será sencillo preguntarle si ha cumplido el objetivo que se había propuesto.

Esta fase no es adecuada para grupos en los que los niños y niñas no estén acostumbrados a asumir responsabilidades. Por otro lado, si el educador no se siente cómodo todavía para permitir que los niños se muevan por la clase con libertad, intercambien ideas y manejen el material, puede que sea necesario cambiar la dinámica del aula para fomentar la iniciativa del alumnado en el proceso de aprendizaje.

Conversaciones sobre los portafolios a dos bandas

La reflexión profunda no es sencilla. De hecho, a medida que los alumnos aumenten en grado de reflexión y capacidad para evaluar su propio trabajo, se necesitará dedicar más tiempo a estas conversaciones.

Es aconsejable mantener conversaciones a dos bandas sobre los portafolios varias veces al año y, si es posible, cada mes; incluso el maestro puede adaptar su horario para realizarlas cada día. Pese a que estas conversaciones sobre los portafolios no son el único momento que comparte con el alumno, fijar un horario para ellas garantizará el contacto regular individual con todos los niños y niñas.

También, pueden realizarse estos encuentros durante el tiempo dedicado a las conversaciones sobre los diarios, sin que sea necesario comentar al niño que se está aplicando una estrategia de evaluación nueva. Bastará con proponerle de forma discreta repasar su portafolio completo. El docente empleará las mismas técnicas que en las entrevistas y conversaciones sobre los diarios, aunque deberá centrar la atención del niño o niña en el conjunto de su trabajo. (Además, estos encuentros no son incompatibles con las conversaciones o entrevistas mencionadas, que es aconsejable seguir manteniendo una o dos veces por semana.)

Se puede comenzar la conversación examinando materiales antiguos y recientes. El educador o educadora deberá hacer algunas preguntas para centrar los comentarios:

- ¿Qué tipo de material hay en tu portafolio?
- ¿Cuáles son los trabajos que más te gustan?
- ¿Qué cambiarías?
- ¿Qué trabajos muestran tus progresos en la escritura, en las matemáticas, las ciencias, el arte o la investigación?

Puede que el educador observe que los textos recientes del alumno son más largos que los que escribió en diciembre; puede dar pie a comentar las razones o los mecanismos que ayudan al niño a hacerlos más extensos. También pueden comentarse los progresos que se observen en las fotografías sobre las construcciones y analizar las diferencias; servirá para sopesar si el niño entiende su progresión.

Así, si el docente trata de evaluar el progreso en las matemáticas, puede preguntarle si recuerda lo que aprendió sobre la suma cuando jugó con piezas de construcción en clase. Habrá que darle tiempo para que piense sus respuestas y las escriba. Para ello, el maestro verbalizará su interés en recordar las opiniones del niño, porque valora su contenido y lo tendrá en cuenta. También, puede pedirle que escriba los comentarios en su diario.

Listas de temas

Puede ser interesante emplear una lista de temas en caso de que los niños o niñas tengan problemas con los nuevos proyectos de escritura. Durante las conversaciones sobre los portafolios, el maestro puede preguntar a los niños los temas que les interesan para el futuro. Esta lista se archivará en el portafolio. De este modo, cuando se bloquee a la hora de escribir, se pueden sugerir los temas de la lista.

Por ejemplo, si el niño suele escribir sobre su ropa, se le puede sugerir que escriba sobre la ropa que llevaba cuando era bebé, la que llevaban las niñas cuando sus padres eran jóvenes o las diferencias entre la que lleva para ir a clase y la de ocasiones especiales.

Los diarios son una buena fuente de temas. Un niño o niña que busque nuevas ideas podrá encontrar algunas en su diario. Con algunas sugerencias por parte del maestro el niño podrá profundizar en la actividad, así un comentario de tres frases en el diario puede dar lugar a la realización de una figura de plastilina o de un texto inventado de una página de extensión.

El siguiente paso será ayudar al niño a que fije sus propios objetivos. En las futuras conversaciones sobre los portafolios, podrá reflexionar sobre si ha conseguido los objetivos y, si no lo ha hecho, revisar su trabajo para conseguirlos.

Al final de cada conversación sobre el portafolio, el maestro ayudará al alumno a escribir un resumen de sus progresos y objetivos en una entrada del diario de aprendizaje. Los niños y niñas que tengan menor competencia escrita pueden dictar al maestro sus resúmenes y los niños con más experiencia pueden escribirlos solos. Serán auténticos registros de sus opiniones sobre su propio trabajo.

Tras la conversación, puede que el maestro quiera reflejar sus impresiones o preocupaciones en anotaciones escritas. Debe ser claro y objetivo. Todos los documentos del educador pueden influir al alumno en el futuro. El maestro fechará las anotaciones y se remitirá a ellas a la hora de planificar tareas.

Todo ello debe hacerse con paciencia

Con el apoyo del docente, los alumnos pueden aceptar más responsabilidad para participar en las discusiones. Las conversaciones sobre los portafolios podrían animar a algunos niños o niñas a revisar un trabajo anterior, para retocar un trabajo artístico o el comentario sobre un libro. Asimismo, las entrevistas permitirán al educador o educadora descubrir lo que piensan los niños sobre su trabajo y progreso. Al mismo tiempo, servirán para perfilar el modo en el que el alumno evalúa su trabajo.

Muchos maestros piden a sus alumnos que decoren sus portafolios con autorretratos o que escriban textos en los que se presenten. Estas tareas proporcionan un sentido de «propiedad» sobre los carpetas, pero se trata de actividades diseñadas por el docente para todo el grupo y no apoyan el aprendizaje individual. En cambio, si un niño dibuja un autorretrato de manera espontánea, éste podría incorporarse como contenido significativo en el portafolio, mediante una fotocopia en color. Pese a ello, dedicar tiempo a decorar los portafolios o llenarlos con material uniforme contradice el propósito que subyace la evaluación basada en portafolios, que consiste en permitir que los niños reflexionen sobre sus progresos y establezcan sus propios objetivos.

Evaluación de los compañeros y compañeras

Algunos maestros de educación primaria esperan que los niños evalúen el trabajo de sus compañeros y comenten sus portafolios. En ocasiones, estos ejercicios se realizan a través de conversaciones informales o mediante escritos sobre el trabajo de su compañero. Esto constituye una variante del tradicional «intercambiad vuestros exámenes» que se solía emplear al acabar los controles, lo que ahorraba al docente la tarea de corregir y que además hacía que los alumnos conocieran las notas de sus compañeros.

Pese a que los niños pueden aprender mucho de sus compañeros y pese a que un entorno educativo adecuado al desarrollo propicia conversaciones enriquecedoras, es posible que la «evaluación de los compañeros» sea una actividad poco significativa. La confidencialidad debe ser una preocupación constante. Los niños y niñas de todas las edades necesitan saber que sus trabajos se valoran y se respetan y que son ellos los que deciden con quién los comparten. Por ello, la evaluación formal de los portafolios de los compañeros no es aconsejable. (Véase en la página 119 una descripción de cómo podría implicarse a los alumnos y alumnas en la recopilación de muestras de trabajo.)

Pasar de las entrevistas a dos bandas sobre los portafolios a las entrevistas a tres bandas

Cuando los alumnos se sientan cómodos a la hora de comentar el contenido de sus portafolios con el maestro y sean hábiles para escribir o dictar sus comentarios en sus diarios, es posible introducir la idea de que otras personas los conozcan mejor a través ellos.

Durante el primer curso de aplicación del portafolio, es posible mantener conversaciones con los alumnos en los dos primeros trimestres del curso y hacer intervenir a los padres y madres en el último. En los cursos siguientes, el docente puede aplicar las fases del proceso de portafolios desde el comienzo del curso escolar.

Cuando decida invitar a los padres para mantener entrevistas a tres bandas sobre los portafolios, el maestro fijará éstas antes de escribir sus informes, para introducir en ellos la información y los planes que se deriven de las conversaciones.

Si los padres no hablan castellano (o la lengua base del sistema educativo) se deberá contar con la colaboración de un traductor. Incluso en este caso, será bueno conocer y practicar algunas frases en el otro idioma para demostrar verdadero interés en entablar la comunicación.

La entrevista deberá servir para agradecer la asistencia, para resaltar aspectos fundamentales del progreso del niño y para pedir a los padres su opinión sobre algún tema.

Si se ha empleado el proceso de diez fases, los padres ya sabrán que el docente prepara informes, de forma que éste puede invitarles de la siguiente manera: «Quiero comentar con ustedes el trabajo de su hijo para preparar el informe trimestral, en el que incluiré sus observaciones e ideas».

Algunos padres desearán tomarse más tiempo para examinar los portafolios. Por ello, es aconsejable fijar treinta minutos por entrevista. Si se planea realizar una por día, el docente necesitará cuatro semanas para hablar con todos los padres. En todo caso, pueden mantenerse las entrevistas en el momento en el que los padres van a recoger a sus hijos.

Otros padres no podrán o no querrán participar en las entrevistas. La variedad de estrategias destinadas a implicar a las familias prevista en el proceso de diez fases ayudará al docente a buscar alternativas en estos casos. Los niños pueden sentirse heridos o preocupados si sus padres no participan, por esto, no debe hacerse hincapié en ello. Como alternativa, cabe enviar el portafolio a casa, si el material se devuelve luego a la escuela. También es posible planear una visita a casa del alumno. No obstante, los portafolios deberán estar siempre a disposición de los padres cuando visiten el centro.

Cómo empezar las entrevistas a tres bandas sobre los portafolios

1. Las entrevistas a tres bandas se programarán en colaboración con los padres y madres. La duración aproximada será de treinta minutos.
2. El docente informará a los niños del encuentro. Puede hacerlo de la siguiente forma: «Así podremos enseñar a tus padres todo el trabajo que has hecho últimamente».
3. Debe darse al niño la oportunidad de añadir comentarios o material explicativo a sus portafolios. Éstos podrían grabarse en un sencillo mensaje de audio o consistir en comentarios que puede realizar durante la entrevista.
4. Cuando se desarrolle la entrevista, el educador tomará notas como en las conversaciones con los alumnos. Además, pedirá a los padres y al niño que comenten los distintos materiales del portafolio completo. Estos comentarios pueden reflejarse en las notas, grabarlos o incluso recogerse en un modelo específico para ellos. (Si se graban, debe anotarse la fecha, el nombre completo de los padres y una referencia al contenido, como «Entrevista a tres bandas», antes de comenzar la grabación.)
5. Por último, se trasladarán los acuerdos o resultados de la entrevista al informe.

Un paso más

El propósito subyacente de las entrevistas a tres bandas sobre los portafolios no sólo es mostrar a los padres el trabajo de sus hijos, sino también permitirles que opinen acerca del proceso de aprendizaje. Una vez se haya alcanzado una rutina y una familiaridad con la estrategia, el educador puede introducir en ellas preguntas relativas a los niños o a la familia. También es posible emplearlas para involucrar a los padres en actividades educativas, proyectos específicos y excursiones.

Para establecer los primeros contactos y aumentar la comunicación con ellos puede utilizarse el modelo de carta de la página 186.

Implicar a las familias

Margaret Puckett y Janet Black, en su libro *Authentic Assesment of the Young Child: Celebrating Development and Learning*, (Evaluación auténtica en la educación infantil: celebrar el desarrollo y el aprendizaje), sugieren introducir las entrevistas sobre los portafolios en el calendario del centro educativo para mantener mejor informados a los padres de las fechas de las mismas; de este modo, es posible fijarlas para los alumnos de la A a la G en la primera semana del mes, y así sucesivamente.

En algunas ocasiones, habrá que cambiar el horario para adecuarlo al de los padres. Garantizar el transporte y emplear algunos sábados ayudará a algunos de ellos. En todo caso, es imprescindible asegurarse de que todas las familias tienen la oportunidad de participar en las entrevistas.

Cuando se mantengan las entrevistas, el docente debe dar a los padres un ejemplo de cómo pueden realizar la evaluación a través de los portafolios, así como sugerirles que escriban cartas dirigidas a sus hijos que el maestro archivará en los portafolios de éstos. Para facilitar esta labor es posible proponer algunas preguntas básicas:

Preguntas básicas para los padres y madres

- Hábleme del juego favorito de su hijo.
- Hábleme del momento del día o de la semana en el que dialoga con su hijo.
- Cuénteme alguna de las tareas que su hijo desempeña en casa.

Las cartas deben ser voluntarias y el educador debe dar la oportunidad de escribirlas e incluirlas en el portafolio en cada entrevista. Se ofrece un modelo de carta de los padres en la página 186.

Fase 10. Utilización de los portafolios acumulativos

Preparación

Como se explicó en el capítulo 4, en las páginas 59 y 60, el portafolio acumulativo que se pasa a los futuros maestros del alumno constituye el tercer tipo de portafolios y acompaña al niño a lo largo de la educación infantil y primaria, a diferencia del portafolio de aprendizaje, que suelen conservar las familias. Estos portafolios son, por tanto, *una recopilación sencilla de muestras de trabajo, informes y otros documentos esenciales que el nuevo maestro puede usar como base para las decisiones iniciales que tomará respecto al niño.* La preparación de este tipo de portafolios supone un paso importante del proceso de diez fases de creación de portafolios porque exige al educador involucrar a los padres en la decisión sobre qué materiales se incluirán para reflejar el aprendizaje de sus hijos.

Si el programa educativo no incluye este traspaso de los portafolios entre profesores, éste es el momento de modificar la organización. Debe establecerse un criterio para conservar los elementos que reflejarán las distintas habilidades de los alumnos y alumnas, por ejemplo: las matemáticas, la competencia para la escritura... También debe decidirse el número de muestras de trabajo que se incluirán en el portafolio acumulativo y se estipulará que la selección de esos materiales se realice durante la entrevista a tres bandas de final de curso. Asimismo, deberá establecerse de forma clara el empleo que hará del portafolio el nuevo maestro. Se decidirá si lo usará como referencia para la comunicación inicial con los padres y con los alumnos, para establecer los grupos de trabajo para los proyectos, etc.

Será necesario crear mecanismos para almacenar los portafolios entre los cursos, para pasarlos a los docentes del nuevo curso y para devolverlos luego al archivo permanente de portafolios. Pueden usarse unos armarios a los que sólo tengan acceso los maestros y el personal de administración del centro educativo, acceso que se controlará mediante un sistema de préstamo.

Es muy importante que tanto el alumno como la familia participen en el proceso de selección de los trabajos del portafolio. Hablar con los niños de los trabajos recientes que han realizado lleva de forma natural a su selección para incluirlos en los portafolios.

No obstante, las niñas y niños de menor edad puede que tengan dificultades para elegir sus «mejores» trabajos o sus trabajos más «típicos». Una de las maneras de introducir esta práctica de selección de materiales es usar como ejemplo un portafolio del maestro. En este caso, el docente deberá compartir su portafolio con los niños y explicarles que introduce un trabajo por una razón determinada.

El modelo del maestro puede ayudar al alumno a tomar sus propias decisiones al respecto. Una posibilidad es pedirle que elija tres muestras sin seguir un criterio específico y decirles que deberá ponerse de acuerdo con el maestro para elegirlas. Durante las entrevistas en las que se comenten las piezas seleccionadas, el docente puede verbalizar los pensamientos y las opiniones del alumno sobre el trabajo y ejemplificar con el uso de un criterio distinto, relativo a los dibujos, las historias con diálogos o los proyectos realizados en parejas en matemáticas.

(Los deberes no son un material adecuado para incluir en los portafolios, sobre todo para los programas educativos infantiles, porque no reflejan un trabajo real. Por ello, el educador disuadirá de forma amable a los niños de incluirlos. Ésta también será una buena oportunidad para analizar el uso de los deberes en el programa educativo.)

De acuerdo con el proyecto de centro relativo al uso de los portafolios acumulativos, el educador puede añadir otros elementos que considere necesarios. Por ejemplo, es aconsejable adjuntar una copia de todos los informes.

Para empezar a preparar portafolios acumulativos

1. El profesor fijará la entrevista a tres bandas de final de curso y enviará una carta a los padres comunicándoles que necesita su ayuda para seleccionar los elementos del portafolio.
2. Antes de esta entrevista, deberá preguntar al niño qué trabajos querría que su próximo profesor viera. Para ello, se le dará tiempo suficiente para que revise sus portafolios y elija las muestras. Podrán escoger sus «mejores» trabajos o sus favoritos, ya sean dibujos, textos, trabajos de matemáticas o de cualquier otra área.

   Se fotocopiarán o fotografiarán los trabajos de manera que el alumno pueda conservar el original; el docente le sugerirá que escriba o dicte una nota sobre el significado de todas o de alguna de las muestras.

3 El educador también hará su propia elección a la que adjuntará sus comentarios para poder explicarla a los padres posteriormente.
4 Durante las entrevistas a tres bandas, se analizará todo el material del portafolio del alumno. Se mostrará a los padres la selección del profesor y la del niño; después se pedirá su opinión.
(Si algún padre muestra especial interés en que se añada una muestra determinada al portafolio, ésta se incluirá pese a que no se ajuste a los criterios de selección y se adjuntará una nota que explique la opinión del padre sobre ella. No se comentará al padre que se ha «contradicho el criterio de selección» para cumplir sus deseos, ya que es parte del propósito y del valor de los portafolios implicar a los padres en la evaluación de sus hijos.)
5 A continuación, se tomarán las decisiones finales. Para ello, se valorarán los intereses de los padres, del alumno y los propios intereses profesionales. Luego se fotocopiarán, fotografiarán o se pondrán en formato de diapositivas los materiales más voluminosos o frágiles, como las construcciones o las acuarelas. Si es posible, el niño se llevará los trabajos originales a casa, junto con el resto de los elementos del portafolio de aprendizaje.
6 Los trabajos se etiquetarán con el nombre completo del niño o niña, la fecha del trabajo y un comentario breve sobre su importancia.
7 Por último, el portafolio acumulativo se guardará en el archivo permanente de portafolios del centro educativo.

Un paso más

Para ayudar al maestro o maestra del curso siguiente, es aconsejable añadir un apartado de «Hechos relevantes» a la copia final del informe de cada alumno. En este apartado se pueden anotar los gustos e intereses del niño, relativos a los juegos, a la lectura o a cualquier otro aspecto. El maestro señalará al siguiente docente la necesidad de comentar estos «hechos relevantes» en las anotaciones que dirija personalmente a sus nuevos alumnos y lo transmitirá igualmente a los maestros de los cursos venideros.

Una vez se haya establecido el plan de aplicación y los mecanismos para conservar los portafolios acumulativos de un curso a otro, el siguiente paso será planificar el traspaso de los portafolios a otros centros en los que pueda matricularse el alumno.

Referencias

GREENWOOD, D. (1995): «Home School connection via video». *Young Children*, 50, (6), p. 66.

HARDING, N. (1996): «Family journals: The Bridge from school to home and back again». *Young Children*, 51, (2), pp. 27-30.

HERMAN, J.L.; ASCHBAHER, P.R.; WINTERS, L. (1992): *A Practical Guide to Alternative Assessment.* Alexandria. Association for Supervision and Curriculum Development.

PUCKETT, M.B.; BLACK, J.K. (1994): *Authentic Assessment of the Young Child: Celebrating Development and Learning.* New York. Merrill.

Para saber más...

ALBERTO, P.A.; TROUTMAN, A.C. (1990): *Applied Behavior Analysis for Teachers.* Columbus. Merrill. (3.ª ed.). (Este libro incluye explicaciones y cuadros claros para el uso de los intervalos de grabación, las muestras temporales, la duración de la misma y otras técnicas para la observación sistemática formal.)

ALMY, M.; GENISHI, C. (eds.) (1992): *Ways of Assessing Children and Curriculum: Stories of Early Childhood Practice.* New York. Teachers College Press.

BOEHM, A.E.; WEINBERG, R.A. (1987): *The Classroom Observer: Developing Observation Skills in Early Childhood Settings.* New York. Teachers College Press. (2.ª ed.).

DEVRIES, R.; KOHLBERG, L. (1987): *Constructivist Early Education: Overview and Comparison With Other Programs.* Washington, D.C. National Association for the Education of Young Children. Citado en BURCHFIELD, D.W. (1996): «Teaching All Children: Developmentally Appropiate Curricular and Instructional Strategies in Primary-grade Classrooms». *Young Children*, 52, (1), pp. 4-10.

DUCKWORTH, E. (1996): «*The Having of Wonderful Ideas*». *Other Essays on Teaching and Learning.* New York. Teachers College Press. (Trad. cast.: «*Cómo tener ideas maravillosas*» *y otros ensayos sobre cómo enseñar y aprender.* Madrid. Visor/Centro de publicaciones del MEC, 1988.)

FALK, B. (1994): *The Bronx New School: Weaving Assessment into the Fabric of Teaching and Learning.* New York. National Center for Restructuring Education, Schools, and Teaching.

FARR, R.; TONE, B. (1994): *Portfolio and Performance Assessment: Helping Students Evaluate Their Progress as Readers and Writers.* New York. Harcourt Brace.

GALLAS, K. (1995): *Talking their Way into Science: Hearing Children's Questions and Theories, Responding Curricula.* New York. Teachers College Press.

GARDNER, H. (1993): *Multiple Intelligences: The Theory in Practice; A Reader.* New York.

Basic Books. (Trad. cast.: *Inteligencias múltiples: la teoría en la práctica.* Barcelona. Paidós, 1998.)

GILBERT, J.C. (1993): *Portfolio Resource Guide: Creating and Using Portfolios in the Classroom.* Ottawa. The Writing Conference.

GROSVENOR, L. y otros (1993): *Student Portfolios.* Washington, D.C. National Education Association.

HELTON, J. (sin fecha): *Appropriate strategies for improving math portfolios: A comparison of self-assessment versus peer conferencing.* Lexington. University of Kentucky Institute on Education Reform. (Una profesora de matemáticas de educación primaria compara dos estrategias de evaluación. Es un buen ejemplo de investigación. UKERA 0008. Disponible en el Institute on Education Reform, 101 Taylor Education Bldg., University of Kentucky, Lexington, KY, 40506-0001.)

HILL, B.C.; RUPTIC, C.A. (1994): *Practical Aspects of Authentic Assessments: Putting the Pieces Together.* Norwood. Christopher-Gordon Publishers. (Este libro trata de forma amplia la evaluación auténtica en el ámbito cognitivo. Además, incluye numerosos modelos reproducibles y adaptables.)

LINDER, T.W. (1990): *Transdisciplinary Play-based Assessment: A functional Approach to Working With Young Children.* Baltimore. Paul H. Brookers Pub. Co.

NATIONAL ASSOCIATION FOR THE EDUCATION OF YOUNG CHILDREN (1996): «Responding to linguistic and cultural diversity: Recommendations for effective early childhood education». *Young Children,* 51, (2), pp. 4-12.

NATIONAL COUNCIL OF TEACHERS OF MATHEMATICS (1989): *Curriculum and Evaluation Standards for School Mathematics.* Reston. National Council of Teachers of Mathematics.

NEILL, M. y otros (1995): *Implementing Performance Assesments: A Guide to Classroom, School and System Reform.* Cambridge. National Center for Fair and Open Testing. (El capítulo «Organizing for Change: What you can do» es especialmente útil para establecer una política de portafolios. Disponible en Fair Test, 342 Broadway, Cambridge, MA, 02139.)

SACHS, B.M. (1966): *The Student, the Interview, and the Curriculum.* Boston. Houghton Mifflin Co.1

TIEDT, I.M. (1993): «Collaborating to improve teacher education: A dean of education's perspective», en GUY, M.J. (ed.): *Teachers and Teacher Education: Essays on the National Education Goals* (Teacher Education Monograph, 16). Washington, D.C. ERIC Clearinghouse on Teacher Education, American Association of Colleges for Teacher Education, pp. 35-60.

VINCENT, L. y otros (1983): *Parent Inventory of Child Development in Non-school Environments.* Madison. Madison Metropolitan School District Early Childhood Program. (Citado en Turnbull, 1986, p. 210.)

VOSS, M.M. (1992): «Portfolios in first grade: A teacher's discoveries», en GRAVES, D.H.; SUNSTEIN, B.S. (eds.): *Portfolio Portraits*. Portsmouth. Heinemann, 18.

WHITEBOOK, M.; BELLM, D. (1996): «Mentoring for early childhood teachers and providers: Building upon and extending tradition». *Young Children,* 52, (1), pp. 59-64.

WILTZ, N.W.; FEIN, G.G. (1996): «Evolution of a narrative curriculum: The contributions of Vivian Gussin Paley». *Young Children,* 51, (3), pp. 61-68.

WOLF, C.P. (1998): «Opening up assessment». *Educational Leadership,* 45, (4), pp. 24-29. Citado en GRAVES, D.H.; SUNSTEIN, B.S. (eds.): *Portafolio Portraits*. Portsmouth, Heinemann, 18.

6
Conclusiones

6 Conclusiones

El proceso descrito en este libro busca potenciar la reflexión continua y la comunicación en el seno de la comunidad educativa, en la que se incluyen los niños y los adultos. A través de él, es posible conseguir una mayor individualización del currículo, un desarrollo profesional permanente y una mayor implicación de las familias. Cuanto más profunda sea la aplicación de las técnicas referentes a los portafolios, mayor será el aprendizaje acerca del desarrollo infantil, el currículo, los estándares y las prácticas educativas eficaces. Para muchos maestros y maestras, el uso de los portafolios se convertirá en una exploración más amplia y profunda de los procesos de enseñanza y aprendizaje.

Tras reflexionar acerca del proceso de aplicación de portafolios y observar las enardecidas batallas y la confusión acerca de las prácticas en la educación infantil, se ha considerado que lo más importante es incorporar a las familias en el proceso. En concreto, porque los padres (abuelos, tutores y otros miembros de la familia) se preocupan tanto por la educación de sus hijos que un cambio como el que comporta este proceso puede confundirles e incluso alarmarles. Por ello, la implicación sensible y prudente de la familia en la aplicación de los portafolios es fundamental para su éxito.

No es tarea fácil que los padres y madres y la comunidad acepten la sustitución de los tradicionales sistemas de evaluación y los informes sin una explicación e implicación previas. En este sentido, la labor de concienciación de las familias es fundamental.

En las escuelas públicas, el consejo escolar debe participar desde el principio en las discusiones que la implantación de los portafolios genera. La implicación temprana de los miembros del consejo hará que la aprobación de los cambios de sistema de evaluación sea más sencilla. Sin embargo, la participación eficaz de la comunidad se extiende más allá del consejo escolar. Como la Association for Supervision and Curriculum Development (Asociación para la supervisión del currículo y el desarrollo) apunta:

> *La verdadera implicación supone una relación más estrecha que en el pasado entre los miembros del entorno educativo y la comunidad, con una* participación más profunda y pública *en todos los estadios de la reforma.* (195, p. 3) (Los textos en redonda son nuestros.)

A lo largo de este libro, se han sugerido estrategias para la implicación de las familias en cada fase del proceso, desde el comienzo, desde el diseño del proyecto, en las que los padres y madres pueden convertirse en un equipo de trabajo o estudio a la hora de discutir y hacer un plan para establecer un sistema de evaluación a través de portafolios. Además, las familias pueden convertirse en mensajeras del proceso de aplicación, para colaborar en la formación de nuevos grupos de padres y miembros de la comunidad, y en el que intervenga al menos un especialista que ayude a entender la evaluación basada en portafolios en el contexto general del programa educativo. Estos pequeños grupos pueden, además, anticipar los problemas de aplicación del proyecto, comunicar los éxitos de la misma e incluso estimular la formación de otros grupos de trabajo. (Por el contrario, las reuniones de grupos mayores pueden acabar dominadas por «grupos de presión» que pretendan desprestigiar el programa con sus quejas y acusaciones, que pueden no estar referidas en muchos casos a la reforma del sistema de evaluación.)

Los grupos de trabajo pueden organizarse a partir de los cursos, la proximidad o a través de cualquier otro criterio. Puede ser aconsejable, incluso, organizar reuniones con todos los grupos antes de aplicar una nueva fase del proceso.

La revista escolar y los medios de comunicación locales son otra vía para implicar a los padres y a la comunidad en el proceso. Para ello, puede escribirse un artículo como «Así aprendemos» y comentar en él los logros de los niños y niñas. Las muestras de trabajo, e incluso las anotaciones sistemáticas, pueden ser una ilustración eficaz para anunciar los proyectos especiales por ejemplo. Debe enfatizarse aquello que los niños y niñas aprenden y no el cambio de sistema de evaluación. (Habrá que tener presente la normativa de la escuela con respecto al empleo de los materiales de los alumnos, y solicitar permiso cuando se considere necesario.)

Las entrevistas a tres bandas (fase 9, páginas 153 a 160) constituyen también una valiosa oportunidad para intercambiar opiniones con los padres. Aunque se anuncie y prepare previamente, muchos de los progenitores esperarán participar en la entrevista tradicional en la que se lleva a cabo una revisión somera de los avances y los problemas de sus hijos, con respecto al resto de grupo de alumnos. Pasará mucho tiempo hasta que analicen los progresos desde distintas perspectivas. Además –dado que es importante establecer criterios claros para evaluar el trabajo de los niños antes de exponer las conclusiones a los padres– hay que tener cautela a la hora de aplicar nuevas técnicas de evaluación. Por ejemplo, en la educación primaria, pueden emplearse controles de distintos tipos al mismo tiempo que se aplican algunas técnicas de los portafolios para evaluar determinadas áreas de aprendizaje. En estos casos, deberán exponerse los resultados de ambas técnicas, de la tradicional y, sobre todo, los resultados derivados del uso de los portafolios. Del mismo modo, es importante etiquetar los materiales de los portafolios, de manera que resulte sencillo mostrar y seguir la progresión de los alumnos.

La participación de los niños y niñas en las entrevistas también puede sorprender a algunos padres y madres, a los que les cueste ver a sus hijos o hijas opinando, planificando y tomando sus decisiones. El maestro deberá articular una forma sutil de introducir las opiniones del niño durante la entrevista.

Incluso cuando el maestro ya esté habituado a comparar los progresos de los alumnos según los trabajos realizados en el pasado y los más recientes, aún habrá padres que quieran saber las notas de sus hijos. Por ello, los programas de educación primaria no deberían abandonar de forma radical las calificaciones. Por el contrario, los portafolios deberán servir para involucrar a los padres y mostrarles las capacidades y las necesidades de sus hijos e hijas, sin por ello eliminar los informes de notas. Adjuntar a los informes tradicionales informes de portafolio, pese a que puede parecer una duplicidad de esfuerzos inútil, es el mejor medio para evitar la oposición generalizada a la reforma del sistema de evaluación.

Puede darse el caso de que los padres muestren cierta oposición por el uso del portafolio como estrategia de evaluación. Éstos pueden argumentar si existe en realidad la necesidad de cambiar algo que se ha venido haciendo durante los últimos treinta años, o que se usaba cuando ellos iban al colegio. Para contestar a estas cuestiones, los docentes y el equipo directivo deberán contar con el respaldo de los grupos de discusión pequeños, de forma que en ellos los padres puedan explicar a los demás cómo les ayudan los portafolios a saber más acerca de sus hijos. Las dudas y preguntas de los padres y madres deben verse como oportunidades para involucrarlos.

Conclusiones finales

A lo largo de la elaboración del presente trabajo, se han mantenido reuniones con numerosos profesores. Estas entrevistas mostraron que las diez fases descritas son una guía para la mecánica de los portafolios, pero que el verdadero entendimiento de la necesidad de las mismas se produce cuando cada docente profundiza en el conocimiento del proceso de aprendizaje basado en los portafolios. Sin embargo, respetar las opiniones de los niños y confiar en su capacidad para participar en su propia educación no es un proceso progresivo. Es una premisa fundamental y supone confiar en que la familia y los alumnos son la base de la comunidad de aprendizaje.

Preguntas simples como los motivos para realizar una construcción, la diferencia entre la plastilina y el barro o lo que el niño o niña ha aprendido al observar a un renacuajo pueden ayudar a los alumnos, a los padres y al propio docente a la hora de establecer un criterio educativo. Este tipo de intercambio puede llevar a cambios profundos y beneficiosos.

En las reuniones que mantuvimos con los maestros y maestras aparecía un tema de forma recurrente: se refería la posibilidad de establecer un criterio para evaluar el progreso de los niños que fuera compatible con los sistemas tradicionales de calificación como el verdadero desafío de la reforma del sistema de evaluación. El tiempo da lecciones, arroja errores y sorpresas. Las técnicas que funcionan de forma maravillosa en un centro educativo pueden fallar en otros. Algunos docentes han revisado y modificado sus técnicas relativas a los portafolios hasta el punto de que se parecen en poco a sus primeros intentos; otros, en cambio, descubrieron que algunos de sus primeros métodos no eran inútiles, e incluso algunos de ellos comentaban que su aprehensión por las calificaciones radicaba en gran medida en la inseguridad que les producía involucrar a los alumnos en la evaluación del trabajo.

Esperamos que estas ideas sobre cómo aplicar los portafolios en los programas de educación infantil y primaria constituyan un estímulo para la reflexión sobre la función del docente, sobre los distintos modos de fomentar el desarrollar infantil y de evaluar e informar sobre los progresos de los alumnos. El educador o educadora deberá, asimismo, compartir sus descubrimientos y su aprendizaje con el alumnado, los padres y los demás profesionales de la educación, y analizar los elementos de los portafolios para explicar sus prácticas educativas.

La reflexión y la comunicación son actividades cruciales en una comunidad educativa, tanto dentro del centro educativo como fuera de él. Los portafolios pueden propiciar una reflexión y una comunicación más rica, profunda y continua en el seno de su comunidad educativa. ¡Buena suerte!

Apéndices

Glosario

Modelos

Lista de material necesario

Glosario

Anotación sistemática: registro escrito derivado de la observación sistemática.

Anotaciones anecdóticas: breves notas sobre las acciones de los niños y niñas. Las anécdotas reflejan acontecimientos de forma objetiva y fáctica con referencias al momento y el lugar en el que ocurrieron. Suelen emplearse para documentar los progresos imprevistos de los alumnos y alumnas.

Calificación estándar: calificación y evaluación basada en criterios estándares, como la expectativa de que un niño o niña de cinco años debe dominar una habilidad determinada.

Conversación sobre el portafolio: reunión entre el docente y el alumno o alumna (y quizás los padres) para discutir los progresos del niño de acuerdo con la recopilación de material del portafolio.

Conversación sobre los diarios de aprendizaje: encuentro regular entre un niño o niña y un adulto en el que se revisan las actividades de aprendizaje recientes y se establecen nuevos objetivos de aprendizaje. La información de la conversación se registra y conserva en un diario de aprendizaje.

Conversación: reunión entre el maestro y el alumno o alumna, o incluso con el padre y madre, para comentar un progreso específico en un área concreta.

Diario de aprendizaje: tipo de registro, parecido a un diario, que documenta las pruebas del progreso concreto de un niño en el trabajo y dominio de un objetivo curricular.

Diario de clase: anotaciones personales del docente acerca de sus experiencias en la enseñanza. Este tipo de diarios facilita la reflexión y la evaluación del trabajo propio.

Diario: registro personal de las experiencias y las ideas.

Dictado: proceso de enunciar información de manera verbal para que otra persona la escriba Se usa principalmente al inicio de la lectoescritura para que los niños y niñas que comienzan a escribir registren sus ideas.

Disciplina: cualquier área del desarrollo, por ejemplo socioafectivo, cognitiva o física.

Documentación: proceso de conservar la información recogida durante la observación en el aula o registrada a lo largo del tiempo.

Entrevistas: situación en la que el educador y el alumno comentan un proceso o trabajo acabado o en elaboración (una historia o un libro o cualquier otra actividad), con el propósito de evaluar el desarrollo del niño. La entrevista es una técnica para comprobar de forma amplia las capacidades y conocimientos del niño o niña.

Esquemático: tipo de dibujo en el que los trazos son evidentes. En los dibujos infantiles, el estadio esquemático se caracteriza porque, por ejemplo, incorporan el cielo en su parte superior y el suelo en su parte inferior. Los dibujos pre-esquemáticos no presentan este tipo de rasgos.

Evaluación alternativa: cualquier tipo de evaluación distinta a la aproximación típica de las pruebas tradicionales que caracteriza las evaluaciones educativas estándares.

Evaluación auténtica: este término alude a la necesidad de que la evaluación debería basarse en que los alumnos y alumnas apliquen las capacidades como si estuvieran en el mundo «real» fuera del centro educativo. La evaluación auténtica también refleja la práctica educativa correcta, de manera que resulta adecuada de cara a las pruebas.

Evaluación basada en portafolios: empleo de los portafolios como base de una serie de estrategias de evaluación. Mientras que las estrategias individuales se orientan a un determinado propósito, el portafolio respalda la evaluación y el aprendizaje global de los alumnos.

Evaluación de rendimiento: término amplio que reúne muchas características de la evaluación auténtica y alternativa.

Evaluación estandarizada: empleo de los exámenes para evaluar los objetivos conseguidos por un niño o niña o un grupo según un criterio determinado.

Evaluación natural: observación informal que se desarrolla en un entorno educativo natural.

Evaluación: método para recopilar información sobre el progreso de un alumno en concreto, o un grupo o muestra de ellos, un programa o un profesional.

Fuente primaria: información en su forma original, no en forma secundaria o evaluada. En la evaluación en la educación infantil o primaria, entre las fuentes de este tipo se incluyen las muestras de trabajo, las entrevistas con los padres y las observaciones de los docentes, mientras que las fuentes secundarias son los listados completos y las evaluaciones procedentes de otros docentes.

Fuentes secundarias: evaluaciones o análisis de fuentes primarias. En educación infantil destacan los comentarios a las muestras de trabajo, los informes, etc.

Informe: resumen claro y escrito del progreso de los niños en todas las disciplinas de desarrollo durante un período de evaluación determinado.

Lenguaje de evaluación: comentarios que reflejan las opiniones de personas que, como el maestro o los padres, observan a los niños.

Lenguaje expresivo: lenguaje que manifiesta o expresa algo más allá de su literalidad. Los niños y niñas muestran el lenguaje expresivo a través de su habilidad para expresar ideas y emociones.

Muestra base: trabajo recopilado al comienzo de la experiencia escolar del alumno para evaluar el nivel inicial del desarrollo en un área específica o en un dominio del conocimiento.

Muestra de trabajo auténtica: producto del trabajo infantil que refleja las situaciones y problemas con los que deben enfrentarse los alumnos en el entorno educativo, en lugar de referirse a situaciones meramente educativas.

Muestra de trabajo: muestra de trabajo personal que refleja y conserva las pruebas del aprendizaje infantil durante un tiempo determinado.

Observación sistemática: escuchar, ver y anotar de forma regular, deliberada y analítica el comportamiento de un alumno o alumna para determinar sus progresos en un área o disciplina determinada.

Plan para utilizar el portafolio: serie de directrices para decidir el material que conforman los portafolios. Su formulación va precedida de un análisis de los objetivos del programa educativo.

Portafolio acumulativo: recopilación de muestras de trabajo, informes y otra documentación, orientados a ser trasladados a los maestros de cursos venideros para crear un registro de evaluación permanente.

Portafolio: recopilación razonada de trabajo a lo largo del tiempo.

Registro permanente: informe descriptivo más detallado que los registros anecdóticos. Este tipo de informes son registros escritos de las actividades de un alumno o alumna durante un período determinado.

Representacional: tipo de dibujo que refleja objetos, personas, animales, etc. En la infancia, los dibujos representacionales se sitúan después del estadio de los garabatos, en el que los niños y niñas comienzan a dominar el trazo.

Resumen de la conversación sobre el portafolio: resumen sencillo, por escrito, de los comentarios, resultados y planes derivados de la conversación realizada sobre el portafolio. El resumen suele ser el resultado de la colaboración entre el alumno, el docente y los padres.

Tarea: trabajo asignado a un alumno o alumna para evaluar el dominio de un conocimiento o habilidad particular.

Referencia

MARZANO, R.J.; PICKERING, D.; MCTIGHE, J. (1993): *Assessing Student Outcomes: Performance Assessment Using the Dimensions of Learning Model.* Alexandria. Association for Supervision and Curriculum Development.

Comentarios de las muestras de trabajo por parte del niño o niña

Nombre: .... Fecha ....

Tarea: ....

¿Cómo hice este trabajo?

....

....

....

....

¿Qué me gusta del trabajo?

....

....

....

....

¿Qué me gustaría cambiar?

....

....

....

....

¿Me gustaría trabajar en ello de nuevo?

....

....

....

....

Comentarios de las muestras de trabajo por parte del maestro o maestra

Nombre: .... Fecha ....

Tarea: ....

❑ Iniciada por el profesor ❑ Iniciada por el alumno o alumna

Habilidad/Concepto: ....

Referencia: ....

❑ Inicio ❑ Desarrollo

❑ Dominio ❑ Ampliación

Notas:

....

....

....

....

....

....

....

....

....

....

Carta de autorización para el uso de fotografías

Por la presente, el padre/madre/tutor de ....
[nombre el alumno o alumna]

autoriza el uso de las fotografías de nuestro hijo o hija para su uso educativo

y profesional por parte de ....
[nombre del centro educativo]

Declaramos tener la representación legal para otorgar el presente consentimiento.

Firma:

Firma:

Nombre y apellidos: ....
Fecha: ....

Nombre y apellidos: ....
Fecha: ....

Diario de aprendizaje

Nombre: .... Maestro/a: ....

Fecha: .... Curso: ....

He aprendido:

....

....

....

....

Quiero aprender:

....

....

....

....

Mis planes son:

....

....

....

....

Comentarios del maestro/a:

....

....

....

....

....

Anotaciones sistemáticas

Nombre: .... Fecha: ....

Maestro/a: .... Período: de .... a ....

Observación autorizada por: ....

Actividad o comportamiento:

....

....

....

Entorno:

....

....

....

Detalles:

....

....

....

Motivo de la observación:

....

....

....

Comentarios:

....

....

....

....

Anotaciones anecdóticas

Nombre: ....

Fecha: ....

Acontecimiento:

....

....

....

....

....

....

....

Entorno:

....

....

....

Detalles:

....

....

....

Comentarios:

....

....

....

Registro: ....

....

Modelo para remitir noticias a los padres y madres

Nombre .... Fecha ....

He observado el siguiente hecho durante el día de hoy y he creído que les gustaría saberlo:

....

Maestro/a

La observación constituye una parte importante de nuestro sistema de evaluación. Aprendemos más del crecimiento y desarrollo de los niños y niñas con la observación regular. Comentaremos otros aspectos y detalles de los progresos de su hijo o hija durante la próxima entrevista. No obstante, pueden llamarme en cualquier momento si tienen dudas.

Les recuerdo nuestro interés acerca de las actividades que tengan lugar en casa. Por ello, les ruego que animen a su hijo o hija a compartir con el resto del grupo sus experiencias.

Carta a los padres

Apreciados padres y madres:

Los portafolios de sus hijos e hijas son una recopilación de información fundamental procedente de diversas fuentes. Una de estas fuentes fundamentales son ustedes. Me gustaría conocer en la medida de lo posible los intereses y actividades de sus hijos e hijas, de manera que nuestra actividad educativa sea la más adecuada para ellos.

Por ello, toda la información que puedan proporcionarnos sobre sus hijos e hijas será de gran ayuda.

A continuación, adjuntamos algunas preguntas que pueden contestar o simplemente pueden comentar lo que consideren necesario sobre el crecimiento y desarrollo de sus hijos e hijas.

Por favor, traigan esta información a la próxima reunión y la añadiremos al portafolio de su hijo o hija. Estamos encantados de que colaboren con nosotros.

Una vez más, gracias por compartir sus conocimientos sobre el crecimiento y el desarrollo de su hijo o hija.

Firma del maestro/a

Lista de material necesario

El proceso de portafolios estructurado en diez fases no exige el uso de material o equipos complicados o de difícil manejo. La mayor parte del material puede conseguirse o comprarse en una papelería.

- Una agenda o libreta de espiral grande para tomar notas en distintos apartados.
- Buenos bolígrafos de fácil uso. Se pueden comprar por cajas.
- Lápices del número 2.
- Libretas de espiral pequeñas de fácil manejo. Deben comprarse en grandes cantidades. Si es zurdo, puede usar libretas con espiral en la parte superior.
- Cuadernos de anillas para los diarios de aprendizaje, uno para cada alumno.
- Material de archivo para los portafolios, tres por alumno: uno pequeño para el portafolio privado, uno grande para el portafolio de aprendizaje, y uno más pequeña para elaborar el portafolio acumulativo.
- Procesador de textos. No es esencial, pero es muy útil para componer informes y para elaborar otro tipo de documentación.
- Una cámara fotográfica. No es esencial, pero es aconsejable. Las características que debe tener para ser útil en la evaluación basada en portafolios son:
  - Una cámara de 35 mm. (La calidad de las fotografías que se sacan con cámaras instantáneas son muy costosas. El mayor inconveniente es que no se pueden hacer copias de las fotografías.)
  - Lentes de zoom con un ángulo grande y con un teleobjetivo moderado que permita disparar a lo largo de una habitación y retratar a un solo niño o niña o a un grupo.
  - Un foco solvente (no muy sofisticado, porque podría ser complicado usarlo).
  - Tiempo rápido de recuperación para disparar de nuevo.
  - Opción de reflejar la fecha en la fotografía.
- Magnetófono (un modelo pequeño y barato). Con un cuidado razonable suelen durar varios años y el único gasto son las pilas.
- Suministro de casetes, al menos una por alumno o alumna.
- Cajones de plástico para archivar las cintas.